12 HORAS DE SONO COM
12 SEMANAS DE VIDA

COLEÇÃO VIDA EM FAMÍLIA
Coordenadora: Monique Nosé

12 horas de sono com 12 semanas de vida
Um método prático e natural para
seu bebê dormir a noite toda
SUZY GIORDANO

Como ouvir as crianças
E responder às suas perguntas mais difíceis
CLAUDE HALMOS

A ciência dos bebês
Da gravidez aos 5 anos –
como criar filhos inteligentes e felizes
JOHN MEDINA

A vida com crianças
Para ler nos momentos de sossego
e consultar na hora do aperto
LULLI MILMAN
JULIA MILMAN

Suzy Giordano,
"A Treinadora de Bebês",
com Lisa Abidin

12 HORAS DE SONO COM 12 SEMANAS DE VIDA

Um método prático e natural
para seu bebê dormir a noite toda

Tradução:
Camila Werner

12ª reimpressão

Copyright © 2006 by Suzy Giordano e Lisa Abidin

Título original
The Baby Sleep Solution: A Proven Program to Teach Your Baby to Sleep 12 Hours a Night
Publicado anteriormente como *Twelve Hours' Sleep by Twelve Weeks Old*

Tradução autorizada da segunda edição americana, publicada em 2006 por Dutton, uma divisão de Penguin Group, de Nova York, Estados Unidos

Grafia atualizada segundo o Acordo Ortográfico da Língua Portuguesa de 1990, que entrou em vigor no Brasil em 2009.

Todos os esforços foram feitos para assegurar que as informações contidas neste livro fossem completas e precisas. As ideias, os procedimentos e as sugestões expostos aqui não pretendem substituir consultas com o pediatra. Todos os assuntos que tangem à sua saúde e à de seu filho devem ser debatidos com o médico. As autoras e a editora renunciam à responsabilidade por qualquer reação adversa decorrente do uso ou da aplicação de informações contidas neste livro.

Capa
Sérgio Campante

Foto da capa
© Elena Litsova Photography/Getty Images

Projeto gráfico
Mari Taboada

Preparação
Sheila Til

Revisão
Tamara Sander
Vania Santiago

cip-Brasil. Catalogação na fonte
Sindicato Nacional dos Editores de Livros, rj

G421d   Giordano, Suzy
12 horas de sono com 12 semanas de vida: um método prático e natural para seu bebê dormir a noite toda / Suzy Giordano, "a treinadora de bebês", com Lisa Abidin; tradução Camila Werner. – 1ª ed. – Rio de Janeiro: Zahar, 2012.
(Vida em família)

Tradução de: The Baby Sleep Solution: A Proven Program to Teach Your Baby to Sleep 12 Hours a Night.
ISBN 978-854-378-0862-7

1. Lactentes – Sono – Obras populares. I. Abidin, Lisa. II. Título: Doze horas de sono com doze semanas de vida. III. Título. IV. Série.

12-2307
CDD: 649.122
CDU: 649.16

Todos os direitos desta edição reservados à
EDITORA SCHWARCZ S.A.
Praça Floriano, 19, sala 3001 – Cinelândia
20031-050 – Rio de Janeiro – rj
Telefone: (21) 3993-7510
www.companhiadasletras.com.br
www.blogdacompanhia.com.br
facebook.com/editorazahar
instagram.com/editorazahar
twitter.com/editorazahar

Para meus filhos, Camila, Bruno, Marcella, Thiago e Matheus, que me ensinaram todas as lições que levaram a este livro. É uma honra ser sua mãe. Agradeço a vocês pelo amor, pela compreensão e pela grande jornada!

SUZY GIORDANO

Para meus filhos, Lauren, Michael Jr. e Christian, e para meu marido, Michael. Sem vocês este livro não existiria. Eu sempre os amarei.

LISA ABIDIN

Sumário

Prefácio — 9
Introdução — 13

1. Doze horas de sono com doze semanas de vida — 23
2. Da primeira semana à sexta — 33
3. Da sexta semana à oitava — 49
4. Da oitava semana à décima segunda — 54
5. Como treinar bebês entre três e dezoito meses de idade — 103
6. Exceções à regra — 111
7. Situações extremas — 118

O que dizem os pais que usaram o método de Suzy Giordano — 123

Agradecimentos — 131

Prefácio

"É MELHOR VOCÊS DORMIREM AGORA, enquanto podem!" Essas são palavras assustadoras despejadas sobre futuros pais. Lisa e eu as ouvimos muitas vezes, sobretudo porque estávamos esperando gêmeos. Tivemos a sorte de receber ajuda à noite e de conhecer Suzy.

Ouvi Suzy e Lisa conversando por horas sobre como cuidar de bebês. Logo de cara, ouvi menções a doze horas de sono para gêmeos com doze semanas de idade e até mais cedo para bebês que não são gêmeos. Suzy comentou casualmente a possibilidade de escrever um livro e logo abracei a ideia. Ela voltou na noite seguinte e já encontrou um gravador e um laptop. Suzy e Lisa formavam uma combinação perfeita para organizar um livro. Suzy trouxe o conhecimento dos mais velhos, a prática e um enorme bom senso e misturou tudo isso à experiência recente de Lisa, que treinou nossos bebês com o método de Suzy e usou sua habilidade de formular conceitos para criar um passo a passo parecido com o de um livro de receitas.

Como médico, pesquisei as fontes habituais a fim de garantir que nossos bebês fossem adequadamente nutridos durante o treinamento para manter seu crescimento. O manual da Merck informa que uma criança deve receber de 110 a 120 calorias por quilo ao dia. O método utilizado aqui exige que a criança pese pelo menos quatro quilos e consuma um mínimo de 720 mililitros de leite materno ou fórmula infantil por dia. Setecentos e vinte mililitros de fórmula comum fornecem um total de 482,4 calorias. Dividido por quatro quilos, esse valor corresponde, aproximadamente, a 120 calorias para cada quilo, estando de acordo com as recomendações da Merck. Fiquei surpreso quando se tornou claro que, por tentativa e erro, Suzy havia chegado a um resultado bastante semelhante quanto à quantidade de nutrição necessária para o bebê dormir a noite toda. Isso me fez pensar se aqueles que em outros tempos se dedicaram aos pesos e medidas adequados também obtiveram trinta mililitros por hora. Conforme a criança cresce, a quantidade de alimentos aumenta e mais tarde outros são introduzidos, além do leite, para atender às suas necessidades nutricionais. As crianças realmente se desenvolvem bem com esse método, como os anos de experiência de Suzy confirmam. A medicina demonstrou que as crianças produzem hormônios de crescimento enquanto dormem e por isso o sono tem um papel importante no seu desenvolvimento.

Em resumo, a técnica funciona. As crianças ficam satisfeitas. Os pais ficam felizes. A casa se torna um ambiente mais calmo e estimulante.

Fico feliz por ter tido uma pequena participação em algo que acho que vai acrescentar muito à vida de pais e filhos.

DR. MICHAEL ABIDIN

Introdução

Minha formação

Aos 26 anos eu tinha cinco filhos, sendo que os mais novos eram gêmeos. Quando eles nasceram, eu tinha uma menina de oito anos, um menino de sete e uma caçula de dois. Pode-se imaginar como eu estava assoberbada. Àquela altura, eu não fazia ideia de que um dia me tornaria treinadora de bebês. Sou brasileira e a cultura no Brasil era, naquela época, bastante diferente da dos Estados Unidos no que se referia a assumir as responsabilidades de cuidar dos filhos. Os maridos não costumavam trocar fraldas nem ficar acordados para ajudar com as mamadas da noite. Fraldas de pano eram o padrão, e ainda não existiam, como nos Estados Unidos, empresas que as buscassem em casa e as devolvessem limpas. Também não era comum ter máquinas de lavar ou secar, e fraldas descartáveis eram um artigo de luxo.

Minhas primeiras semanas depois do nascimento dos gêmeos foram mais ou menos assim: tentei amamentar a cada duas horas, mas tinha pouco leite (cerca de quinze mililitros por mamada). Além disso, trocava de quatorze a vinte fraldas por dia (bem, na verdade, muito mais, pois cada criança usava mais de uma fralda por vez, visto que eram finas), lavando-as no tanque e pendurando-as em um varal do lado de fora da casa para secar, ou às vezes no banheiro, porque chovia muito onde eu morava. Também lavava as roupas dos gêmeos, além das dos meus filhos de dois, sete e oito anos, as do meu marido e as minhas. Tudo à mão e sem uma secadora. E preparava três refeições completas por dia para cinco pessoas sem a ajuda de produtos pré-prontos, além de realizar as tarefas diárias normais da casa.

Por umas três semanas, me esforcei para dar conta das necessidades de sete pessoas, dormindo cerca de 45 minutos por noite. Um dia, cheguei desesperada à casa dos meus pais às cinco da manhã. Meu pai disse que cuidaria dos gêmeos por algumas horas para que eu pudesse dormir um pouco. Fui para cama e acordei com o galo cantando, mas o sol ainda não havia nascido. Pensei que tinha cochilado por mais ou menos quinze minutos, mas não consegui pegar no sono de novo, então fui dar uma olhada nos gêmeos. Meu pai estava lhes dando mamadeiras com fórmula. Eu disse: "Ah, não consegui dormir, pode deixar que cuido deles." Meu pai pareceu confuso e respondeu: "Suzy, o que você está dizendo? Cuidei deles o dia e a noite inteiros. Você dormiu 24 horas."

Imediatamente meu pai me fez sentar e disse: "Você não pode continuar a viver assim, precisa de um plano." Naquele dia mesmo montei um programa que os gêmeos ainda seguiam quando me mudei do Brasil para o estado americano da Virgínia, em 1990. Os gêmeos tinham um ano e, certa noite, Sarah, a amiga de uma amiga, que tinha trigêmeos com seis meses, veio nos visitar. Ela ficou de boca aberta ao ver meus gêmeos com cobertinhas nas mãos nos dando beijos de boa-noite e começando a engatinhar escada acima para irem para a cama. Perguntou-me há quanto tempo eles iam dormir com tanta facilidade e respondi que desde que tinham cerca de três meses de idade.

A vida de Sarah havia se tornado um caos. Antes, ela morava com o marido e três animais de estimação. Agora, além dos três bebês (duas meninas e um menino), que ficavam acordados a noite toda, a família convivia com quatro babás durante o dia, três babás durante a noite, uma acompanhante e uma faxineira. Havia na casa funcionários em três jornadas de trabalho, sete dias por semana, 24 horas por dia. Não é preciso dizer que Sarah e o marido estavam achando difícil fazer a transição do seu estilo de vida tranquilo, sem filhos e com os salários dos dois, para o verdadeiro circo de três picadeiros em que suas vidas haviam se transformado.

Quando fui à casa de Sarah pela primeira vez, disse a ela que seria fácil treinar os bebês para dormirem a noite toda. Então ela me pediu que a ajudasse, dizendo: "Onde vou encontrar alguém que faça o que você está me dizendo que pode ser feito?"

Boa pergunta. Mesmo hoje em dia, apesar do grande número de livros e serviços envolvendo bebês, não se encontram muitos anúncios de "especialistas em sono de bebês" nas páginas amarelas. E, para os poucos de nós que treinamos crianças para dormir a noite toda, a demanda excede em muito a oferta.

Depois de três semanas, eu havia treinado os trigêmeos a dormir doze horas por noite com uma soneca de uma hora pela manhã e outra de duas horas à tarde. Sarah diminuiu sua equipe de nove pessoas para apenas uma acompanhante. Ela fazia parte de um clube de mães de trigêmeos da região de Washington e contou a outra mãe, Leah, sobre mim. Cuidei das trigêmeas de Leah desde o momento em que chegaram em casa, do hospital. Quando tinham dezesseis semanas, eu as havia acostumado a dormir doze horas por noite (o treino de sono para trigêmeos leva mais tempo porque os bebês nascem menores). Meu método foi tão eficiente e popular com trigêmeos que logo pais de gêmeos começaram a bater à minha porta, pedindo que treinasse seus bebês também. E pais de bebês que não eram gêmeos e de bebês mais velhos começaram igualmente a ligar, muitas vezes implorando que lhes reservasse alguns dias por semana, já que eu estava com a agenda cheia.

Mais de vinte anos e centenas de famílias depois, ainda estou firme sem que um só bebê tenha deixado de dormir a noite toda, ainda que tenha lábio leporino, síndrome de Down, cólicas ou outras circunstâncias especiais.

Meu método

Quando se trata de bebês, o que quer dizer "dormir a noite toda"? Para bebês de três a quatro meses de idade, alguns definem isso como "das 23h30 às 5h ou 6h". Não parece muito ruim (na verdade, soa fantástico, se você já está na décima semana de privação de sono), até ouvir: "... mas 50% [dos bebês] ainda precisam de uma mamada por volta das 3h." Não sei para você, mas acordar a cada três horas *não* é minha definição de dormir a noite toda! E, mesmo se você estiver entre os 50% que têm a sorte de não precisar dar a mamada das 3h, dormir de cinco a seis horas por noite é muito menos do que as oito ou nove a que você estava acostumada antes de o bebê nascer.

Este livro define "dormir a noite toda" como dormir doze horas por volta das doze semanas de vida. Isso significa que, quando seu bebê tiver doze semanas de idade, ele dormirá das 19h às 7h (ou das 20h às 8h e assim por diante) sem acordar para comer, sem precisar ser pego no colo e embalado e sem que seja necessário recolocar a chupeta em sua boca. Em resumo, ele será capaz de dormir sem interrupção por doze horas ou, se acordar, conseguirá voltar a pegar no sono *sem você*. E se seu bebê precisar de menos de doze horas de sono, conseguirá se entreter em silêncio no berço sem gritar e exigir ser pego *por você*.

Muitos pais me perguntam se é seguro para os filhos dormir a noite toda quando têm doze semanas de idade. Não tive problemas com nenhum dos bebês que seguiram meu método nem houve qualquer problema de saúde decorrente do treinamento. Na verdade, não apenas acredito que seja saudável dormir por doze horas, como as crianças com as quais trabalhei *cresceram muito bem*.

Isso acontece porque meu método reforça a tendência natural do bebê de pular as mamadas da noite desde que suas necessidades nutricionais tenham sido atendidas durante o dia. Por conta própria, muitos bebês começam a dormir dez ou doze horas por noite por volta das seis semanas de idade.

Além disso, os bebês com os quais trabalhei tinham os mesmos ciclos de vigília e de sono que todas as outras crianças – a diferença é que os que seguiram meu método adquiriram a capacidade de voltar a dormir por conta própria, *sem* os pais, quando acordavam espontaneamente durante a noite.

Meu método inclui no treinamento a "Solução pelo Choro Controlado". Acredito que esse seja um meio-termo realista entre o "deixar chorar", que muitos pais não suportam, e o "sem choro", que é irreal para muitas crianças. Por exemplo, bebês mais velhos que já desenvolveram hábitos de sono ruins normalmente chorarão um pouco no treinamento durante sua transição para hábitos de sono melhores.

Ao ler isto, você pode não acreditar. Talvez ache que o método funciona com alguns (ou seja, os anjinhos), mas não com os *seus* bebês. É possível que uma amiga tenha enchido os seus ouvidos com histórias sobre, por exemplo, não dormir mais do que quatro horas seguidas por três anos; sair de carro às duas da manhã para acalmar na cadeirinha do banco de trás um bebê que chora; ou passar a noite num colchonete no quarto do bebê enquanto o marido dorme sozinho na cama *king size*.

Há inúmeras histórias sobre as dificuldades de os pais fazerem seus filhos dormir a noite toda. Mas não precisa ser assim com os *seus* bebês. Como sei disso? Porque o que acabei de contar é verdade: há mais de vinte anos treino bebês (até quádruplos!) a dormir doze horas por noite. E, até hoje, todos eles conseguiram. Todos!

Existem diversos trabalhos sobre bebês e sono, mas este livro é destinado às mães e aos pais que não têm tempo de ler uma obra de trezentas páginas. Não importa se você é uma mãe grávida que trabalha sessenta horas por semana dentro e fora de casa ou um pai cansado que dá o seu melhor para acompanhar a esposa que se recupera da cesariana, ficando acordado com ela noite adentro – você será capaz de ler as seções principais deste manual em *duas horas*.

Prometo que em duas horas você terá todas as ferramentas para ser capaz de treinar seu bebê a dormir a noite toda. Meu livro é dirigido a gêmeos e a bebês únicos. Na verdade, alterno o uso dos termos "bebê" e "bebês" ao longo do livro. A única diferença verdadeira entre treinar o sono de um bebê e o de dois ou três bebês, além do número de alunos, é o tempo: você pode começar a treinar um bebê único a dormir a noite toda mais cedo que gêmeos. Fora isso, o processo é o mesmo. Qualquer outra pequena diferença a respeito de treinar gêmeos será discutida em seções separadas intituladas "Gêmeos".

O mesmo vale para os bebês mais velhos: apesar de este livro ter como objetivo treinar bebês para dormir a noite toda quando tiverem doze semanas de vida, o método aqui apresentado se aplica a crianças ao longo do primeiro ano de vida e até os dezoito meses de idade. Em outras palavras, se o seu filho de cinco, nove ou doze meses a está deixando acordada a noite toda, não é tarde demais – este livro pode ajudá-la a fazê-lo dormir doze horas por noite em cerca de uma ou duas semanas. Na verdade, esta edição contém uma seção especial dedicada ao treino de crianças entre três e dezoito meses.

Apesar de haver aqui um pouco da minha filosofia a respeito da importância de as crianças dormirem a noite toda e das consequências de não o fazerem, este livro é em grande parte um guia prático. Gosto de pensar que ele não é mais difícil de ler do que o manual de uma cadeirinha de balanço automática (um equipamento que deveria ser rejeitado e evitado se você usa o modo vibratório, mas falaremos sobre isso mais adiante). Meu livro é organizado com títulos objetivos e muitos exemplos práticos. Também apresento tabelas que ajudam a explicar o meu método. Você pode fazer cópia e usá-las durante o treinamento.

Uma nota especial para mães que amamentam no peito: apesar de grande parte desse treinamento ser baseado em garantir que o bebê receba quantidades precisas de alimento, quem amamenta certamente também pode usar este livro para treinar seus bebês. Só que, em vez de contar mililitros, as lactantes devem contar os minutos das mamadas. Se você está preocupada com a sua produção de leite ou com o número de vezes que seu bebê mama, pode utilizar uma bombinha entre cada mamada ou logo após. É isso que muitas mães que amamentam fazem quando voltam ao trabalho. A amamentação e o treinamento para dormir serão abordados mais detalhadamente adiante.

Sou chamada de "Treinadora de Bebês" porque isto é o que faço: treino bebês a dormir a noite toda. É parecido com o trabalho de uma *personal trainer*: assim como os pais podem se exercitar fisicamente sozinhos, podem também aprender sozinhos a ensinar seus bebês a dormir a noite toda. Mas é muito mais fácil se alguém cria um programa a ser seguido e o encoraja ao longo do caminho. É isto o que espero que este livro faça por você e por seus bebês: oferecer um programa passo a passo sobre como treinar seus filhos a dormir a noite toda.

Ter filhos não significa ficar privado de sono por três a cinco anos. Sua vida pode ter de volta a organização, a estrutura e o bom-senso. Se estiver disposto a "treinar" seus bebês usando os métodos que descrevo neste livro, você pode evitar viver por meses ou até anos em um estado que descrevo como "vendo o tempo passar", que é prejudicial para os pais e o bebê. Prepare-se: você está prestes a ver como pode ser maravilhoso ser mãe ou pai quando o filho dorme como deveria.

As pessoas dizem que sou A Treinadora de Bebês. Eu digo que sou a pessoa que tem o melhor emprego do mundo porque trabalho com bebês.

1

Doze horas de sono com Doze semanas de vida

Vamos direto ao ponto, o programa que ensino é o seguinte:

1. Bebês não prematuros que estão com o peso adequado dormem ou descansam em seus berços por doze horas durante a noite, mais uma hora pela manhã e duas horas à tarde.
2. Bebês não prematuros que estão com o peso adequado se alimentam quatro vezes ao longo do dia, sem mamadas noturnas. Cada mamada deve durar cerca de trinta minutos.

Como fazer uma criança dormir doze horas por noite quando atinge doze semanas de vida? Acredito que os bebês fariam isso se os pais simplesmente os deixassem quietos e encorajassem sua natureza. Mas os pais do século XXI são cheios de inseguranças. Hoje em dia, sites, livros e programas de TV coexistem com vizinhos, amigos e famílias dizendo como cuidar de uma criança. Há muita gente falando nos seus ouvidos – faça isso, não faça aquilo, você não está fazendo isso certo, não está fazendo aquilo como deveria. Você não pega seu filho no colo por tempo suficiente, ou você fica com ele no colo por muito tempo. Um pai ou uma mãe que já estejam nervosos e assustados às vezes podem ficar paralisados com tantos conselhos bem-intencionados, mas muitas vezes conflitantes.

E mesmo que a pessoa se sinta segura sobre suas habilidades como mãe ou pai, a falta de sono deixa sua cabeça enevoada. Antes de ser mãe ou pai, você é um ser humano que precisa dormir determinada quantidade de horas por dia.

Depois de passar algumas semanas dormindo de duas a quatro horas por noite, muitos dos meus clientes chegam a um beco sem saída e sua necessidade de sono se sobrepõe à capacidade de tomar decisões racionais. O que acontece é que se opta pelo que chamo de "solução rápida" – a pessoa sabe que o que está fazendo é errado, mas tudo o que deseja é que o filho pare de chorar, e pare de chorar *imediatamente*. Então, o que faz? Liga a cadeirinha de balanço automática e a coloca no modo máximo de vibrações calmantes, ou deixa a criança fazer um lanchinho a cada hora no peito ou na mamadeira, tudo na tentativa desesperada de fazê-la dormir para que possa dormir também. A solução rápida se transforma então em uma rotina da qual ela não sabe como sair.

Não cometo esse tipo de erro, pois minha especialidade é treinar o sono e sempre trabalho bem descansada. Faço isso há mais de vinte anos, então o pânico e a confusão que acompanham pais e mães, em especial os de primeira viagem, não existem para mim. Também sei quando os bebês começam naturalmente a aumentar o tempo de mamada e de sono e uso isso a meu favor durante o treinamento.

Meu trabalho com uma família varia entre uma consulta telefônica de 45 minutos até oito a doze horas de trabalho por noite, sete dias por semana, durante as doze primeiras semanas depois que o bebê chega em casa. Algumas pessoas ainda entram em contato comigo por meio do fórum de discussão do meu site. Mas não importa quanto tempo eu passe com uma família, o objetivo é sempre o mesmo: dar a você e ao seu filho as ferramentas necessárias para que ele durma doze horas por noite.

Quatro fundamentos para o sucesso do sono do bebê

1. O bebê deve se adaptar à família, não a família ao bebê.

Apesar de causar algumas mudanças necessárias, a chegada de um bebê não deve ditar quando, onde e como acontece a vida normal da família. Por mais simples e importante que seja esse conceito, pode ser difícil para os pais de primeira viagem aceitá-lo. Bebês se adaptam bem e deveriam ser expostos a todas as facetas da vida familiar. Por exemplo, durante a soneca deles, assim como a campainha pode tocar, os irmãos mais velhos devem ter autorização para rir alto e a máquina de lavar deve ser usada. Se não for assim, a família acaba vivendo em um ambiente de tensão e medo no qual cada respiração recebe um olhar torto. E mais do que isso: você ensina seu filho a dormir apenas em um ambiente silencioso e artificial. A menos que você esteja preparado para mantê-lo protegido dentro de casa para sempre, esse padrão de sono acabará dando errado.

2. Você deve se sentir no comando como pai ou mãe.

É importante dizer a si mesmo: "Eu sou a mãe (ou o pai) e estou no controle. Você é um bebê e vai seguir as minhas orientações." Quando a mãe ou o pai não se põem à frente da situação, um líder inexperiente e pouco preparado toma a dianteira: o filho! Muitas vezes os pais culpam a criança e se ressentem com ela por causa de problemas que surgem a partir disso, principalmente por se sentirem impotentes. No entanto, mesmo tão novas, as crianças precisam de uma figura que represente autoridade e que determine parâmetros e limites. Elas precisam saber que quando quebram as regras estas ficam mais rígidas. Do contrário, você estará colocando o peso de criar seus filhos nas costas deles próprios, e isso não é justo.

Uma vez que você se sinta no comando como mãe ou pai, também precisará perceber que não pode proteger seu filho de tudo. Você é responsável por ele durante um tempo curto e, nesse período, precisa ajudá-lo a desenvolver suas capacidades. Seu trabalho é ensinar-lhe o necessário para que ele se vire sozinho e sobreviva da melhor maneira possível. Bons pais não são aqueles que têm todas as regras e soluções, são os que dizem: "Preciso preparar meu filho para o mundo." Porque o que você não ensinar ao seu filho, a vida vai ensinar, e ela não é tão gentil.

Conforme seus filhos crescem, você continua no papel daquele que aplica as regras, mas eles desenvolvem a habilidade de tomar as próprias decisões. Como mãe ou pai, você deve dar a eles as ferramentas para que façam as melhores escolhas. E você proporciona isso dando-lhes, aos poucos, mais responsabilidade e mais oportunidades de escolhas, conforme a idade.

Outra parte do papel dos pais é filtrar informações de acordo com o que faz sentido para a sua família. Não fique achando que deve pôr em prática todos os conselhos que ouvir sobre como criar filhos. Você (e não uma diva dos programas de televisão, nem o bebeisso&bebeaquilo.com, nem a sua tia Maria) é quem deve tomar as decisões quando o assunto é seu filho.

3. Dormir é uma habilidade que se aprende e que deve ser ensinada ao bebê.

É inacreditável o que as crianças podem aprender. Os bebês com os quais trabalho sempre me surpreendem, nunca me desapontam. Acho que muitas vezes eles aprendem entrando em contato com uma atividade e percebendo: "Ah, é assim que funciona!" Seu papel como mãe ou pai é reconhecer e encorajar essas descobertas positivas.

Dormir bem é uma habilidade básica e passível de ser ensinada. É tão importante quanto aprender a falar e andar. Assim como você encoraja seu filho a falar pronunciando "M-A-M-Ã-E" devagar e repetindo a palavra várias vezes, ou incentiva seu bebê a andar colocando um brinquedo um pouco mais longe e dizendo "Vem, você consegue", também deveria estimular a habilidade de dormir de seu filho, dando-lhe a oportunidade de se acalmar sozinho e ir dormir sem você e sem outros auxílios.

Embalar um bebê de doze semanas repetidas vezes em uma cadeira de balanço automática até ele dormir é o mesmo que carregar uma criança de dois anos no colo para todo lado. Essas crianças têm a capacidade de dormir e andar, respectivamente, mas seus pais ficam "consertando a situação" para elas, ao invés de guiá-las para que realizem sozinhas o processo.

Tanto quanto aprender a andar envolve tropeçar e cair ao longo do caminho, aprender a reconhecer o cansaço, cair no sono e continuar dormindo também envolverá algumas dificuldades. Mas, assim como seu filho acabará dominando a habilidade de andar, com sua orientação e estímulo, e assim como você não esquece como se anda depois que torce o tornozelo, dormir é uma habilidade que um bebê nunca irá esquecer, ainda que fique doente ou saia de férias. Na verdade, com o decorrer do tempo, a criança passa a dormir cada vez melhor.

4. O treinamento para dormir exige comprometimento e trabalho duro por parte dos pais.

Este fundamento é bastante autoexplicativo: como na maioria das coisas boas da vida, no treinamento do sono os pais também precisam colocar algum esforço. E mesmo depois que o treinamento termina, de vez em quando eles precisarão reforçar o que ensinaram, em especial quando a criança estiver doente ou passando por uma fase difícil de seu desenvolvimento, como durante o nascimento dos dentes ou na época da transição do berço para a cama.

Seis benefícios do treinamento do sono

1. Há pouco choro envolvido no processo.

Não acredito que haja mais aprendizado para o bebê, após cinco minutos de choro contínuo. Por isso meu método não é tão rápido quanto outros, mas funciona 100%. Você não terá de passar por períodos em que ouve seu filho chorar de maneira contínua e ininterrupta. Acredito na Solução pelo Choro Controlado, que limita o choro a cinco minutos por vez. Isso significa que você intervirá e confortará seu bebê depois de três a cinco minutos de choro, usando diversas "ferramentas" que serão apresentadas mais adiante. Talvez permitir que a criança chore desesperadamente produza resultados mais rápidos, mas, na minha opinião, isso pode ser emocionalmente desgastante tanto para os pais quanto para a criança. Do mesmo modo, assim como alguns bebês aprendem a dormir a noite toda sem que haja choro nesse processo de aprendizado, para muitos bebês isso seria uma abordagem pouco realista. Para fazer seu filho dormir, ao invés de dar passos maiores que a perna, caminhe a "passos de bebê".

Deixar uma criança chorar a noite toda sem fazer nada para acalmá-la vai contra o sentimento protetor natural dos pais. Como resultado, os pais podem não ficar confortáveis e abandonar o treinamento. Quero que os pais se sintam bem a respeito do processo de aprendizado do sono e que vejam resultados que os encorajem a seguir adiante.

2. Você terá filhos mais felizes e cooperativos.

Bebês que seguem uma rotina, dormem a noite toda e têm bons hábitos alimentares e de sono são bebês felizes. Eles sempre sabem qual é o seu lugar na família e também quem está no comando. Entendem que há amor, solidez e segurança. Não há confusão, insegurança ou incerteza em suas vidas. Seu mundo inteiro faz sentido.

Por estarem tão tranquilos, esses bebês conseguirão ficar mais atentos e receptivos a ouvir, o que significa que aprenderão de maneira mais ativa. Também ficarão mais dispostos a brincar sozinhos com satisfação e não precisarão ser entretidos constantemente pelos pais ou outras pessoas.

Essa satisfação continua a aumentar conforme eles crescem. Eles serão mais abertos e sociáveis, porque alcançarão seus objetivos o tempo todo. Dirão a si mesmos: "Não preciso daquele brinquedo, sei dividir. Sempre dividi tudo porque sou parte, e não o centro, da minha família." A capacidade de se consolar sozinho também leva ao autocontrole, então você pode evitar que uma criança de dois anos dê ataques no estacionamento do supermercado, o que todos nós já tivemos a oportunidade de testemunhar em algum momento de nossas vidas.

Em resumo, seus filhos terão os primeiros meses de vida muito mais tranquilos e seguros. A solidez e a estabilidade da rotina diária lhes darão o "mapa da mina" para sair dos primeiros anos de vida e entrar no jardim de infância sem ter que descobrir o caminho sozinho e aprender do jeito mais difícil.

Isso porque você construiu as bases para um sono e uma alimentação de qualidade, além de outras habilidades sobre as quais as crianças podem continuar a construir quando deixarem de ser bebês.

3. Vocês serão pais proativos.

Seus bebês também se beneficiarão com o *seu* sono. Ao invés de passar os dias parecendo um zumbi sonolento, você terá energia para ser uma mãe ou um pai proativos no que diz respeito a brincar e conversar com seu filho.

4. Você terá uma rotina previsível.

Se você seguir meu método, terá o luxo de saber que durante uma hora pela manhã, duas horas à tarde e três ou quatro horas antes de ir para a cama, à noite, o tempo será seu. Você poderá tomar um banho, tirar sua soneca ou pôr os pés para cima e ler um livro, porque terá certeza de que o bebê estará dormindo ou brincando em silêncio no berço naquele período.

5. Você será capaz de lidar de maneira eficiente com mais de uma criança.

Como você consegue se dedicar o tempo todo a um bebê quando tem uma criança pequena que também precisa de atenção? Ou quando há outro bebê a caminho? Não é factível. Essa abordagem só funciona com uma criança. Meu método vai ajudá-la a lidar de maneira eficiente com várias crianças, dando liberdade à sua família.

6. Você pode seguir este método sozinha.

Muitos dos pais com os quais trabalhei durante doze semanas inteiras temeram minha partida quando chegamos ao final do período de treinamento. Eles achavam que eu tinha uma varinha mágica do sono. Mas sou apenas a maestrina. A capacidade de dormir durante a noite toda é dos próprios bebês e pais.

Na primeira noite em que os bebês dormem a noite inteira e não estou lá, os pais pensam: "Ah, que sorte." Na segunda noite, dizem: "Nossa, eles conseguiram de novo!" Na terceira: "Eles conseguiram outra vez???" Então os pais começam a pensar: "Ah, os bebês estão dormindo a noite toda, talvez isso dure." Passa-se uma semana sem a minha presença na casa, mas os pais ainda me telefonam com frequência. Então, na semana seguinte, me ligam apenas uma vez. Quando se dão conta, estão pensando: "Faz um mês que não ligo para a Suzy – não preciso mais dela!" E, finalmente, chegam ao estágio em que dizem: "Suzy? Quem?"

Você pode passar pela mesma experiência lendo este livro. Trabalhei com muitas famílias que não podiam me pagar pelos sete dias da semana, então eu ia apenas uma ou duas noites por semana, e eles mesmos treinavam os bebês nas outras. Ou tiravam dúvidas comigo por telefone algumas vezes. Desde que você seja consistente na aplicação do que ler neste livro e desde que realmente acredite no meu método, ele também pode funcionar comigo a distância.

2

Da primeira semana à sexta

Pegue leve e não crie maus hábitos

Durante as primeiras quatro a seis semanas, você está liberada no que diz respeito a um treinamento de sono sério. Eu não começo a treinar o sono realmente até que os bebês tenham cerca de quatro a seis semanas, dependendo ainda do peso, da prematuridade e de outros fatores. Use esse tempo para deixar seu corpo se recuperar, seu bebê se acostumar à vida fora do útero e todo mundo na família se adaptar às mudanças que acompanham o nascimento de um bebê.

Neste capítulo, você aprenderá a avaliar quando seu bebê está pronto para começar o treinamento. Também aprenderá a adaptar este método às necessidades do seu bebê e da sua família. Ninguém conhece seu filho melhor que você – use esse conhecimento para aumentar as chances de sucesso dele em adquirir a capacidade de dormir.

Isso posto, leia este capítulo com cuidado, porque você não quer criar maus hábitos que terá de mudar mais tarde. Não é possível mimar bebês com menos de doze semanas de vida, mas é possível criar maus hábitos. Isso acontece porque a criança simplesmente segue os pais, e é seu trabalho guiá-la na direção correta.

A fase que antecede o treinamento de sono é mais ou menos como a que antecede o início de uma dieta. Se você tomar um litro de sorvete por dia durante oito semanas, seu corpo realmente terá dificuldades de parar quando o regime começar. Se você só comer aquela guloseima de 1.200 calorias a cada três ou quatro dias, então seu corpo não vai ficar tão acostumado a ela. Tomar sorvete não será um hábito.

O mesmo vale para um bebê. Se você o colocar na cadeirinha de balanço automática cada vez que ele chorar nas primeiras seis semanas, ele vai esperar que você faça isso sempre que ele chorar *depois* desse período. O bebê chora, você o coloca na cadeirinha. Chora de novo, cadeirinha. Você repete o padrão todas as vezes. Logo, o bebê vai chorar e *precisar* da cadeirinha de balanço. Assim, ela deixa de ser uma forma de ajudar seu filho a se acalmar e passa a ser a *única* maneira com que ele se acalma. Não é culpa dele, que apenas está fazendo o que foi ensinado. Pessoalmente, não sou grande fã dessas cadeirinhas e do uso do modo vibratório nelas e em berços. O modo vibratório faz todo o trabalho para a criança, então ela nunca vai aprender a se acalmar por conta própria. Acredito que essas soluções rápidas não permitem à criança aprender a se consolar sozinha, algo primordial para que durma a noite toda.

Chupetas, por outro lado, são uma ferramenta eficiente para ajudar a ensinar o bebê a se consolar sozinho. No entanto, tente usar chupetas apenas quando ele estiver no berço tirando suas sonecas ou durante o sono noturno, depois que a rotina diária de mamadas estiver estabelecida. Se não você corre o risco de acabar com uma criança de dois anos e meio que corre o dia todo com uma chupeta na boca.

Talvez você tenha de ir ao quarto do bebê várias vezes por noite para colocar a chupeta em sua boca durante as primeiras quatro semanas após os treinos. Mas é importante que em algum momento essa necessidade comece a diminuir. Caso contrário, pense em ir desacostumando seu bebê a depender da chupeta fazendo chiados leves, tocando-o suavemente ou usando outros métodos para consolá-lo.

Também não sou contra chupar o dedo: é uma forma de se acalmar sozinho e, desde que o dedo do seu bebê não fique grudado na boca dele 24 horas por dia, é um hábito que se pode permitir durante o primeiro ano de vida.

Eu nunca usaria a cadeirinha de balanço automática ou o modo vibratório de berços com a intenção de acalmar um bebê ou, pior, encorajá-lo a dormir. No lugar disso, alternaria outras técnicas, como sentar-me com ele em uma poltrona e niná-lo, colocá-lo sobre os joelhos e massagear suas costas, ou oferecer uma chupeta (veja no Cap.4 uma lista de outros métodos que você pode usar).

Assim ele aprende que chorar não resulta em ir para a cadeirinha de balanço automática ou outro dispositivo com modo vibratório. Chorar leva a muitos métodos diferentes de consolo.

Haverá horas em que seu filho e/ou você estarão em plena crise. O bebê está chorando por causa de gases enquanto você precisa desesperadamente ir ao banheiro. Ou você já comeu a quarta barrinha de cereais do dia e precisa de uma refeição de verdade. Tudo bem pegar a cadeirinha de balanço ou colocar a criança no berço no modo vibratório. Mas fique atenta para usar esses artifícios de maneira ocasional (pense na mensagem afixada em certas portas de vidro: "quebre em caso de emergência"). E lembre-se: esses equipamentos são projetados para ajudá-la durante uma crise. Quando não estiver em uma, tente ficar longe deles.

Adoro as cadeirinhas de balanço quando são usadas sem o modo vibratório. Entre o nascimento e os três meses, elas mantêm o bebê em uma posição ereta a partir da qual eles podem olhar em volta com segurança e observar o que está ao redor. Essa é uma pausa bem-vinda para bebês pequenos, que passam grande parte do tempo vendo o mundo deitados. Além disso, a posição ereta ajuda a evitar o refluxo e auxilia a digestão. Conforme crescem, as crianças se tornam capazes de se balançarem sozinhas na cadeira. Ao contrário da vibração automática, essa é uma forma de se acalmar sozinho, que é o foco do meu método. Você está criando um ambiente no qual seu filho aprenderá a se acalmar, a se consolar sozinho e a ficar mais confortável consigo mesmo. Essas três habilidades são vitais para o sucesso do sono.

Faça um diário

No hospital, provavelmente você participou do controle de três eventos importantes que acontecem na vida de todos os recém-nascidos:

1. A que horas o bebê mamou.
2. Quanto o bebê mamou.
3. A que horas a fralda foi trocada e o que havia lá dentro (urina ou fezes).

Não posso deixar de destacar a importância de se continuar o registro desses três eventos depois que seu bebê sair do hospital e até o treinamento terminar. Isso vai ajudá-la não só a treinar seu bebê a dormir a noite toda como a reconhecer quando ele estiver doente, não se alimentar direito e outras circunstâncias. Durante um período da sua vida em que os dias se misturam em uma névoa de falta de sono, também a ajudará a lembrar de maneira específica o que aconteceu dois dias antes. Se houver outras pessoas cuidando da criança, como uma babá ou seu marido, o diário se tornará uma excelente ferramenta de comunicação.

Preparei três diários de 24 horas que você pode copiar. O primeiro começa à meia-noite, o segundo às 7h e o terceiro às 8h. Sinta-se à vontade para usar o que funcionar melhor para você. Ou use o diário que começa à meia-noite para as primeiras seis ou oito semanas e depois passe para o de 7h ou 8h, quando começar o treinamento.

Além dos três eventos mencionados, acrescentei uma seção de "observações". Você pode usá-la para registrar fatos especiais, como o primeiro sorriso do bebê, ou nem tão especiais, como vômitos, diarreia e outras questões de saúde, entre elas o uso de medicamentos. Também preparei um exemplo de página de diário preenchida, para dar uma ideia de que informações podem ser incluídas.

NOME			DATA		
HORÁRIO	MAMADEIRA (ML)	SEIO (MIN) E/D	URINA	FEZES	OBSERVAÇÕES
00h ___					
01h ___					
02h ___					
03h ___					
04h ___					
05h ___					
06h ___					
07h ___					
08h ___					
09h ___					
10h ___					
11h ___					
12h ___					
13h ___					
14h ___					
15h ___					
16h ___					
17h ___					
18h ___					
19h ___					
20h ___					
21h ___					
22h ___					
23h ___					

NOME _____   DATA _____

HORÁRIO	MAMADEIRA (ML)	SEIO (MIN) E/D	URINA	FEZES	OBSERVAÇÕES
07h __					
08h __					
09h __					
10h __					
11h __					
12h __					
13h __					
14h __					
15h __					
16h __					
17h __					
18h __					
19h __					
20h __					
21h __					
22h __					
23h __					
00h __					
01h __					
02h __					
03h __					
04h __					
05h __					
06h __					

DA PRIMEIRA SEMANA À SEXTA

NOME		DATA			
HORÁRIO	MAMADEIRA (ML)	SEIO (MIN) E/D	URINA	FEZES	OBSERVAÇÕES
08h ___					
09h ___					
10h ___					
11h ___					
12h ___					
13h ___					
14h ___					
15h ___					
16h ___					
17h ___					
18h ___					
19h ___					
20h ___					
21h ___					
22h ___					
23h ___					
00h ___					
01h ___					
02h ___					
03h ___					
04h ___					
05h ___					
06h ___					
07h ___					

NOME	gêmeo de cinco semanas de vida			DATA	20/07	
HORÁRIO	MAMADEIRA (ML)	SEIO (MIN) E/D	URINA	FEZES	OBSERVAÇÕES	
08h 15		15E / 10D	Cheia ✔	✔	refluxo do remédio	
08h —						
09h —			✔		diarreia — observar	
10h 00		10E / 15D		✔		
11h —					temperatura: 37,8°C	
12h 45		15E / 15D	✔	✔		
13h —						
14h —						
15h 45		10E / 10D	✔			
16h —						
17h —						
18h 15		10E / 10D	✔		refluxo do remédio	
19h —						
20h —					bebê agitado	
21h 15	105		✔		pomada contra assadura	
22h —						
23h —						
00h 00	120		✔	✔	dormiu durante a mamada	
01h —						
02h —						
03h 00	120		✔	✔		
04h —					fralda verificada	
05h 45	90		✔	✔		
06h —						

DA PRIMEIRA SEMANA À SEXTA

Mamadas durante o dia

Seus bebês devem conseguir mamar a cada duas horas e meia ou três horas durante o dia nas primeiras seis semanas de vida. Sua rotina de amamentação nesse período deve refletir a rotina de quando eles estavam no hospital. Isso significa duas coisas:

1. Bebês precisam ser alimentados a cada três horas porque o ganho contínuo de peso é muito importante nas primeiras semanas de vida.

Você precisará acordá-lo para a mamada se ele ainda estiver dormindo após três horas desde a última vez que se alimentou. Além disso, você não quer que seu bebê se acostume a dormir por longos períodos, de cinco ou seis horas, durante o dia. Períodos de sono assim devem ocorrer à noite.

Você gastará muito tempo acordando seu bebê para alimentá-lo durante essas semanas. E nem sempre será fácil. Uma boa maneira de acordá-lo é trocando sua fralda ou acariciando sua bochecha com o dedo.

EXEMPLO

A última mamada começou às 10h e agora são 13h. Ele ainda está dormindo. É preciso acordá-lo para que mantenha a rotina de se alimentar a cada três horas.

2. Também é importante não alimentar o bebê com mais frequência do que a cada duas horas e meia ou três horas durante as primeiras seis semanas,

a menos que haja uma razão e o pediatra aconselhe mamadas mais frequentes. O sistema digestivo do bebê precisa de tempo para processar o alimento. Alimentá-lo a cada hora e meia ou duas horas vai fazer com que ele belisque ao invés de ingerir refeições completas, porque ainda haverá alimento não processado em seu estômago. Isso também tornará mais difícil treiná-lo para a rotina de quatro horas no futuro.

EXEMPLO

O bebê mamou pela última vez às 14h. Agora são 16h e ele está agitado. Tente fazer com que ele não se alimente pelo menos até as 16h30 (veja no Cap.4 a caixa de ferramentas para o dia, que lhe dará as informações necessárias para fazer com que seu bebê enfrente os trinta minutos ou uma hora que antecedem a próxima mamada).

Como seu filho ainda está se ajustando ao novo ambiente, não espere que haja muita interação. Ele não vai ficar muito tempo acordado, no entanto, esse é o melhor momento para se deliciar com ele, segurando-o no colo e criando um vínculo enquanto fica de olho em manter longe os maus hábitos.

É importante deixar seu bebê mamar quanto quiser a cada duas horas e meia ou três horas, sobretudo durante o dia. A menos que o pediatra tenha prescrito uma dieta mais restritiva, deixe-o alimentar-se até ficar satisfeito, mas a cada duas horas e meia a três horas. Isso vai ajudar o treinamento mais tarde, quando vocês passarem para quatro mamadas diárias. Se o bebê se acostumar a mamar até ficar satisfeito, seu metabolismo vai determinar, naturalmente, a quantidade que ingere a cada mamada.

Além disso, não se prenda a quanto ele ingere a cada mamada. Em vez disso, preste atenção em quanto ele mama num período de 24 horas. Desde que ele esteja recebendo a quantidade adequada por dia, não importa se mama mais de manhã ou à noite.

GÊMEOS

Durante o dia, aconselho enfaticamente que você alimente seus bebês ao mesmo tempo (se estiver amamentando no seio, um de cada lado), ou o mais próximo possível do mesmo horário (ou seja, um logo após o outro) durante todos os estágios do treinamento e depois dele. Além de facilitar os treinos, isso dará mais tempo para outras atividades, como treinar os olhos observando o móbile, no caso de seu filho, e fazer e tomar um café ainda quente, no seu caso.

Mamadas durante a noite

Alimentar seu bebê à noite é como alimentá-lo durante o dia. Você não deve seguir uma frequência maior do que a cada duas horas e meia ou três. O espaço que se dá entre as mamadas durante a noite, no entanto, depende de se ter apenas um bebê ou gêmeos.

No caso de um bebê, você deve acordá-lo a cada três horas para as mamadas *pelo menos durante as três ou quatro primeiras semanas*. No caso de gêmeos, você deve acordá-los a cada três horas para as mamadas *pelo menos durante as cinco ou seis primeiras semanas*.

Esses passos servem para garantir o ganho de peso apropriado. Normalmente os gêmeos nascem pesando menos que os fetos únicos e por isso precisam de mais mamadas por um período maior para alcançar os outros.

Depois de três ou quatro semanas para os bebês únicos, ou de cinco ou seis no caso de gêmeos, você pode deixá-lo(s) começar a aumentar sozinho(s) o tempo entre as mamadas noturnas de forma natural, dependendo do seu peso, da prematuridade e de outros fatores.

Sono à noite

Durante parte ou todo o período das primeiras seis semanas de vida, seu bebê acordará a cada duas horas e meia ou três horas. Aconselho os pais a criarem um plano antes de o bebê nascer para que, se possível, tanto a mãe quanto o pai possam ter um período de sono satisfatório. Pode parecer difícil seguir o conselho "durma quando o bebê dormir" se você tem outros filhos ou trabalha fora. Na hora de estabelecer seu programa, tente levar isso em consideração junto com seu padrão natural de sono (a mãe vai tarde para a cama, enquanto o pai acorda com as galinhas).

EXEMPLO

A mãe alimenta o bebê entre 22h e 3h enquanto o pai dorme. O pai alimenta o bebê entre 3h e 8h enquanto a mãe dorme.

Apesar de não ocorrer nenhum treinamento durante as primeiras seis semanas, ainda assim eu incentivaria o bebê, durante a noite, a apenas dormir e se alimentar. Não o encoraje a permanecer acordado. Mantenha as luzes baixas, alimente-o e coloque-o logo de volta ao berço.

Se seu filho parecer agitado entre as mamadas da noite, verifique rapidamente os possíveis problemas:

- *Ele está muito quente?* Verifique a testa.
- *Ele está muito frio?* Verifique o nariz e as mãos.
- *Ele está babando?* Incline o berço com listas telefônicas posicionadas de maneira firme sob os dois pés da cabeceira do berço ou incline o bebê com almofadas antirrefluxo, que podem ser compradas em lojas especializadas e mantêm os ácidos do estômago no devido lugar.
- *Ele está confortável?* Bebês muito novos não têm um bom controle dos músculos e dos movimentos do corpo, por isso alterne-os em posições diferentes.
- *A fralda está suja?* Verifique se ele tem fezes ou urina na fralda e troque-a se necessário.

Os bebês devem dormir no berço, no quarto deles. Prefiro que os pais façam isso desde o começo e, com certeza, ao longo do treinamento do sono. Isso posto, alguns pais preferem manter o bebê no quarto do casal durante as primeiras seis a doze semanas de vida. Tudo bem se seu filho ficar em um berço ou um cesto no seu quarto, desde que vocês, os pais, entendam que a criança *deve* fazer uma transição para o próprio berço, no próprio quarto, assim que o treinamento começar, ou quando ela passar a dormir doze horas por noite de três a sete noites seguidas. Do contrário, o quarto dos pais deixa de ser um refúgio para os adultos e o bebê aprende a depender constantemente da presença de ambos para pegar no sono e permanecer dormindo. Essa dependência é o oposto do objetivo do meu método. Tenha em mente que assim o treinamento pode acabar durando mais, já que o bebê talvez precise de mais tempo para fazer a transição de um quarto para o outro.

GÊMEOS

Muitos pais preferem que seus gêmeos ou trigêmeos durmam no mesmo berço durante os primeiros meses. Afinal de contas, eles já dormiram juntos no útero pelos primeiros nove meses de suas vidas. Não há problema durante as oito ou nove semanas iniciais, e provavelmente isso facilita a transição para a vida do lado de fora.

Mas, quando o treinamento começar de verdade, prefiro que os gêmeos durmam em berços separados. Durante o treino e depois, eles terão problemas e padrões de sono diferentes que podem afetar a capacidade de cada um dormir de forma contínua. De qualquer modo, em um determinado momento, normalmente por volta dos cinco ou seis meses, de acordo com a prematuridade, eles precisarão ser separados por causa do tamanho.

Os bebês podem dormir no mesmo quarto por quanto tempo os pais quiserem. Muitos se preocupam que uma criança vá acordar a outra com seu choro ou outros barulhos. Aprendi que, desde que elas sempre tenham compartilhado o mesmo quarto, a maioria aprende a dormir a noite toda e a filtrar os barulhos da(s) outra(s) criança(s). Mas, se estiverem todas no mesmo berço, precisarão lidar não apenas com o barulho a alguns centímetros (em vez de metros) de distância, mas também com braços e pernas se debatendo, o que tira qualquer um de um sono profundo!

Sono durante o dia

Antes de completar seis semanas de vida, seu bebê irá se alimentar a cada duas horas e meia ou três horas, então não se preocupe com quanto ele dorme ou não entre essas mamadas. O número e a duração dessas sonecas durante o dia não afetarão o sono à noite até que o treinamento comece.

3

Da sexta semana à oitava

A tempestade de duas semanas

Cerca de três anos após começar meu trabalho como treinadora de bebês, percebi que, aproximadamente entre a sexta semana e a oitava de vida, quase todos os gêmeos com os quais trabalhei, mesmo aqueles que poderiam ser descritos como "fáceis" ou "anjinhos", passavam por um período difícil. Choravam de maneira incontrolável, tinham gases, lutavam contra cólicas intestinais e ficavam agitados entre as mamadas. Apesar de os períodos variarem de intensidade, todos os bebês sofriam com problemas parecidos.

Depois de observar esse padrão por mais de vinte anos, acredito que todos os bebês terão cólica – não é uma questão de se o seu bebê vai ter cólica ou não, mas de quando e com que intensidade. Normalmente, esse momento parece ocorrer entre a terceira semana e a quarta para fetos únicos e entre a sexta e a oitava para gêmeos. Mas o tempo também varia de acordo com o peso do bebê, a prematuridade e outros fatores. Esse fato pode estar relacionado a mudanças no sistema imunológico ou digestivo, mas, seja qual for a causa, nesses momentos os bebês parecem estar em um tipo de encruzilhada nada agradável do desenvolvimento.

É normal perceber uma mudança clara em seu choro, que se torna cortante. Além disso, o rosto do bebê fica muito vermelho quando ele chora desse jeito e ele baba com mais frequência e em volume maior. É assustador na primeira vez e a maioria dos pais me liga aflita quando isso começa a acontecer. Então criei o hábito de avisar as famílias com que trabalho, com uma antecedência de uma ou duas semanas, a respeito dessa fase para que possam se preparar. Você também pode se preparar. Assim, quando ela chegar, você estará no controle da situação – como quando avisam de antemão sobre uma tempestade.

Então, em vez da experiência perturbadora de perguntar "O que está acontecendo?", você poderá dizer: "Ah, era disso que a Suzy estava falando. Sabia que ia acontecer e é uma fase que vai passar logo." Desde que você saiba o que está havendo, não ficará perturbada e tensa, e, sem a sua carga de tensão, seu filho não ficará tenso durante esse período difícil.

Por falar em tempestades: evite o efeito bola de neve

Tente tornar esse período o mais confortável possível para o seu bebê, mas, repito, sem criar muitos hábitos ruins que precisarão ser abandonados depois. Por duas semanas pode ficar bem difícil –

talvez seu filho não consiga relaxar ou dormir por causa da dor. Alguns choram muito e de maneira dolorosa. Você pode experimentar remédios contra gases para ver se eles funcionam com seu bebê, ou massageá-lo com delicadeza.

Um dos piores hábitos que observei são os pais que se tornam cada vez mais tolerantes ao choro. Por exemplo, primeiro o bebê chora por um ou dois minutos antes que um dos pais o pegue no colo. Mas logo o limite de tolerância se estende e eles esperam cinco minutos antes de consolá-lo. Essa tolerância continua a aumentar e não demora muito para que alguns pais passem a pegar o filho depois de quinze minutos. Infelizmente, o bebê aprendeu que, em vez de chorar por um ou dois minutos, agora ele precisa berrar por quinze para obter o mesmo resultado: ser pego no colo pelo pai ou pela mãe. Ele então aprende que, depois de quinze minutos, consegue o que quer, pois, depois de quinze minutos, os pais cedem.

Alguns pais acreditam que a solução é esperar ainda mais, digamos, vinte minutos, antes de atender o filho: "O bebê quer que eu o pegue, então vou esperar vinte minutos antes de ir ao quarto dele." Ora, a criança aprende que precisa chorar por vinte minutos para conseguir o que quer. Esse é o efeito bola de neve. Apesar de a criança talvez não chorar mais ou de modo tão intenso, a mãe ou o pai ainda vão pegá-lo todas as vezes. Os pais não ensinaram o que desejavam ao bebê, isto é, que chorar não leva a nada. Ensinaram que, apesar de o tempo de choro variar, o resultado é o mesmo: ser pego no colo.

O bebê não é o único que desenvolveu um hábito ruim.

Os pais também adquiriram um hábito igualmente prejudicial de ceder e acabar dando à criança o que ela quer. É uma via de mão dupla: o bebê se acostuma a exigir coisas por meio do choro e os pais se habituam a ceder por causa do choro.

Você pode evitar o efeito bola de neve seguindo o método que ensino a seguir.

Mamadas durante o dia

Por volta da sexta semana, seu filho deve se alimentar a cada três horas durante o dia, em vez de a cada duas horas e meia. Essa transição pode já ter acontecido. Se não, apenas encoraje-o a esperar mais meia hora usando as ferramentas que apresento no Cap.4. Como ele está começando a consumir mais mililitros por mamada, precisa de mais tempo para fazer a digestão.

Mamadas durante a noite

Por volta da sexta semana, relaxe a rotina de mamadas a cada três horas durante a noite, caso isso ainda não tenha acontecido. Deixe o bebê acordar sozinho de maneira natural para mamar à noite.

EXEMPLO

O bebê normalmente mama a cada três horas durante a noite. Ele agora tem seis semanas e meia de idade e mamou pela última vez às 22h. É 1h e ele ainda está dormindo. Deixe-o dormir quanto quiser antes de amamentá-lo, já que seu objetivo é *incentivar a sensação natural do bebê de que é capaz de aumentar o tempo entre as mamadas.*

Sono à noite e durante o dia

Por ser um período de uma a duas semanas tão difícil no desenvolvimento do seu bebê, não se preocupe em treiná-lo para dormir nesse estágio.

A fase que vai da sexta semana à oitava pode ser complicada para pais e bebês. Mas saiba que a vida melhora. Logo, você passará da falta de sono para o estímulo ao sono, e este livro ajudará você a chegar lá!

4

Da oitava semana à décima segunda

Que os treinos comecem: bem-vindo ao CTB (Centro de Treinamento de Bebês)

É aqui que se inicia o trabalho de verdade. Para que meu programa ajude seu filho a dormir doze horas por noite quando tiver doze semanas de vida, é indispensável que o treine na seguinte ordem:

Ordem cronológica do treinamento

1º passo: Alimentação durante o dia: a cada quatro horas, quatro vezes por dia, ao longo de doze horas.

2º passo: Alimentação durante a noite: elimine gradualmente todas as mamadas noturnas ao longo de doze horas.

3º passo: Sono da noite: dormir ou descansar em silêncio no berço por doze horas.

4º passo: Sono do dia: dormir ou descansar em silêncio no berço por cerca de uma hora pela manhã e duas à tarde.

Apesar de ser importante seguir os passos nessa ordem, muitas vezes há uma sobreposição do 2º e do 3º passo.

EXEMPLO

Se você tentar treinar seu filho a dormir a noite toda *antes* de ele estar mamando a cada quatro horas durante o dia, o resultado não vai ser tão bom, ou não vai dar certo de jeito nenhum. O mesmo acontecerá se você tentar treiná-lo a fazer as quatro coisas ao mesmo tempo. No entanto, enquanto elimina as mamadas da noite (2º passo), você *deve* começar a estabelecer a rotina para dormir (3º passo).

Os três pré-requisitos

Antes de começar a ensinar seu bebê a dormir a noite toda usando meu programa, três pré-requisitos devem ser observados:

1. PESO: o bebê deve pesar pelo menos quatro quilos.

2. ALIMENTAÇÃO: ele deve mamar pelo menos 720 mililitros de leite materno ou fórmula ao longo do período de 24 horas.

3. IDADE: deve ter pelo menos quatro semanas de vida se for um bebê único. Deve ter pelo menos oito semanas de vida se for gêmeo. Deve ter pelo menos doze semanas de vida se for trigêmeo.

Normalmente esses três fatores acontecem ao mesmo tempo de forma natural, mas às vezes é preciso esperar algumas semanas a mais para que o bebê chegue aos quatro quilos, sobretudo se ele nasceu antes de 36 semanas de gestação.

Suas caixas de ferramentas

Sempre que há um problema, é bom ter a ferramenta correta à mão. Se você precisa sair em busca das ferramentas quando necessita delas, não apenas vai perder um tempo precioso como pode agravar o problema. Por isso desenvolvi ferramentas para o dia e para a noite que devem ser usadas com o seu filho durante o treinamento.

Do ponto de vista emocional, os bebês precisam de um pouco de conforto da mãe e do pai para que aprendam a acalmar a si mesmos. Seu mantra deve ser: "Não vou resolver tudo para você, mas, enquanto você aprende a se virar sozinho, estarei ao seu lado." Basicamente, até o ponto em que seu filho pode seguir sozinho, você trilhará junto com ele o caminho que o leva a uma noite inteira de sono.

Há várias coisas que você pode fazer para encorajar a criança durante o treinamento:

Ferramentas para o dia

Quando o bebê está acordado durante o dia e com dificuldades para esperar até a próxima mamada, o segredo é DISTRAIR, DISTRAIR, DISTRAIR:

- Coloque-o em uma cadeirinha de balanço e o entretenha com a música da cadeirinha, com os próprios brinquedos e canções.
- Coloque-o sobre um tapete de atividades.
- Ofereça a chupeta – isso normalmente faz você ganhar pelo menos quinze minutos.
- Balance-o sobre seus joelhos e cante canções infantis.
- Entretenha-o com suas brincadeiras e atividades favoritas.

Se ele começar a dormir muito antes da hora da soneca, você também pode usar os métodos que acabo de descrever – mas não ofereça a chupeta, pois isso levaria o bebê à terra dos sonhos em instantes. Lembre-se: o fato de ele dormir cedo demais é tão ruim quanto ele ficar acordado por muito tempo. Além disso, tente usar a chupeta apenas durante as sonecas e à noite, sobretudo a partir do momento em que ele estiver mamando regularmente a cada quatro horas.

Ferramentas para a noite

Quando o bebê estiver no berço, faça-o sentir-se seguro de que, apesar de não pegá-lo no colo, você está logo ali. Fique de pé perto do berço ou sente-se em um pufe ou cadeira próximos.

- Ofereça a chupeta.
- Dê batidinhas leves na barriga de seu filho com a mão, com seu brinquedo favorito ou com o cobertorzinho dele. (Sugiro aos pais que usem um brinquedo ou cobertor como apoio emocional. Ver p.91.)

- Coloque sua mão de maneira firme sobre a barriga do bebê.
- Tranquilize-o fazendo "shhh..." repetidas vezes.
- Sussurre frases como "Está tudo bem", "Mamãe está aqui", "Papai te ama", "Sei que é difícil ser um bebê" etc.
- Mude a criança de posição no berço para ajudá-la a encontrar a mais confortável.
- Mostre-lhe seu brinquedo ou cobertor favorito.
- Ligue a música do móbile.

Essas técnicas para acalmar funcionam de duas maneiras. Além de contribuírem para que o bebê fique mais tranquilo, ajudam a deixar você mais focada e relaxada para continuar o treinamento.

Quando você conversa com o bebê, na verdade está falando consigo mesma, pensando: "Meu filho vai ficar bem."

É importante ter bom-senso ao fazer uso dessas ferramentas. Ao utilizar as do dia, por exemplo, é melhor ceder e alimentar o bebê alguns minutos antes da hora desejável se ele estiver muito frustrado ou desconfortável.

Da mesma forma, haverá momentos em que você vai precisar tirar o bebê do berço para acalmá-lo, se todas as outras ferramentas para a noite falharem. No entanto, essas exceções devem ser raras e usadas como último recurso, como a cadeirinha de balanço automática. Caso elas se tornem a regra, e não a exceção das exceções, o treinamento vai demorar mais ou não dará certo.

A Regra dos Três Dias:
Bons hábitos levam três dias para serem aprendidos e três dias para serem mudados

1º dia: Escuro
2º dia: Cinza
3º dia: Branco

No meu trabalho, descobri que em geral são necessários três dias para se criar um hábito positivo e três dias para mudá-lo. O primeiro dia é sempre o pior, por isso é o dia escuro. Há uma pequena chance de o segundo dia ser tão ruim quanto o primeiro (por isso eu o chamo de dia cinza), mas quase sempre ele é mais tranquilo. No terceiro dia, o bebê normalmente já entendeu, então esse é o dia branco. Apesar de essa sequência parecer básica e óbvia, é importante se lembrar dessa regra geral quando estiver no meio do treinamento para saber que há luz no fim do túnel.

A Regra dos Sete Dias:
Maus hábitos levam três dias para serem aprendidos e sete dias para serem mudados

Quando nos propomos a mudar hábitos ruins, sempre digo aos meus clientes que se preparem para o pior e esperem pelo melhor, e que ficarão no meio-termo. Correr para o quarto do bebê todas as manhãs assim que o ouvir fazendo um som é um exemplo de mau hábito que se deve eliminar. Se você quer ter determinação para abandonar um hábito ruim, é importante estar consciente do tempo extra necessário para isso.

Dedique-se completamente, mas não 24 horas por dia

Durante o treinamento e depois dele, sempre digo aos meus clientes que esse período especial de começo de vida dos bebês não vai se repetir. Aconselho-os a se dedicarem completamente, mas não 24 horas por dia. Tudo bem comer uma fatia de bolo, ela não vai fazer você engordar. Ficar com o bebê no colo é a mesma coisa – só não se exceda.

A melhor hora para dar carinho e amor a seu filho é quando ele estiver tranquilo e cooperativo, e não quando estiver chorando. Se não você estará recompensando um comportamento negativo. Gosto de citar o seguinte exemplo: seu bebê está balbuciando satisfeito na cadeirinha, observando o móbile. Você diz a si mesma: "Ah, vou aproveitar para dar aquele telefonema agora, que o bebê está tranquilo." Enquanto está ao telefone, ouve um "nhé" e chama o bebê: "O que foi?" Então ele fica quieto por mais alguns segundos. Aí você ouve um "nhé, nhé" e vai para perto dele para ver qual é o problema. Nesse momento vem um "nhé, nhé, nhé" e você desliga o telefone e o pega.

Claro que tal cena vai acontecer às vezes – bebês chorando precisam de algum conforto dos pais e você tem de fazer coisas enquanto o bebê está feliz sozinho. Mas se isso se torna o seu padrão e você não interage muito com seu filho quando ele está tranquilo, está ensinando a ele que chorar significa ganhar a atenção dos pais. Se você interage com seu bebê uma boa quantidade de tempo quando ele está calmo e cooperativo, ensina a ele a melhor das lições: não é preciso chorar para ganhar atenção.

1º Passo:
Mamadas durante o dia

Antes de começar a trabalhar com a rotina de sono, você deve dar início à rotina de alimentação durante o dia. O que você faz de dia é tão importante quanto o que faz à noite. Este é o primeiro passo:

Alimente o bebê a cada quatro horas quatro vezes por dia.

Se você consultou seu diário, provavelmente percebeu um aumento natural na quantidade de leite que seu filho consome em cada mamada. Com quatro semanas, pode ser que ele estivesse consumindo 90 mililitros a cada duas horas e meia ou três horas, mas depois começou a mamar 120 mililitros a cada três horas na sexta semana de vida e assim por diante. A maioria dos bebês começa a mamar mais durante o dia e a espaçar mais as mamadas. Você deve continuar encorajando essa tendência natural até que seu filho mame a cada quatro horas desde o momento em que começa o dia até a hora em que o dia termina, com ele no berço.

Se você o alimentava a cada três horas, a transição para quatro horas será mais fácil do que se você permitisse que seu filho fizesse pequenas refeições e beliscasse a cada uma ou duas horas. Você pode treinar seu bebê a mamar a cada quatro horas durante o dia da seguinte maneira:

Divida o dia em duas metades de doze horas.

O início desses dois blocos de doze horas deve se basear nas necessidades da sua família, sejam elas o horário de trabalho do pai, a escola de sua filha de cinco anos ou seu desejo de malhar de manhã antes que o bebê acorde.

Os exemplos a seguir normalmente estarão baseados em modelos que vão das 7h às 19h ou das 8h às 20h, porque são populares entres meus clientes e mais fáceis de compreender do que os das 6h45 às 18h45 ou os das 7h30 às 19h30. Mas sinta-se à vontade para usar horários quebrados se forem funcionar melhor com sua família. Tenha em mente que a maioria dos bebês parece preferir ir para a cama entre 19h e 21h.

EXEMPLO

A primeira parte pode ser das 6h às 18h e a segunda, das 18h às 6h. Você também pode usar das 7h às 19h, das 8h30 às 20h30 ou mesmo das 11h às 23h. Meus clientes que eram músicos de banda e tocavam à noite usavam blocos das 11h às 23h. Lembre-se, o bebê deve se adaptar à família. A família não deve fazer mudanças para se adequar à vida do bebê.

7h–19h	19h–7h
8h–20h	20h–8h

Estabeleça quatro mamadas durante o dia, com quatro horas de intervalo entre elas.

EXEMPLO

Se seu primeiro bloco de doze horas começar às 7h, então 7h + 4 horas = 11h; 11h + 4 horas = 15h; 15h + 4 horas = 19h. Assim, a primeira mamada será às 7h; a segunda, às 11h; a terceira, às 15h; e a quarta e última, às 19h.

PRIMEIRA MAMADA	SEGUNDA MAMADA	TERCEIRA MAMADA	QUARTA MAMADA
7h	11h	15h	19h

EXEMPLO

Se seu primeiro bloco de doze horas começar às 8h, então 8h + 4 horas = 12h; 12h + 4 horas = 16h; 16h + 4 horas = 20h. Assim, a primeira mamada será às 8h; a segunda, às 12h; a terceira, às 16h; e a quarta e última, às 20h.

PRIMEIRA MAMADA	SEGUNDA MAMADA	TERCEIRA MAMADA	QUARTA MAMADA
8h	12h	16h	20h

Alimente seu bebê no início de cada bloco de quatro horas.

A primeira mamada

Comece alimentando o bebê no início do primeiro bloco de quatro horas. Isso significa que ele acorda ou você o tira do berço cerca de quinze minutos antes da primeira mamada, para que haja tempo para a troca da fralda e das roupinhas.

EXEMPLO

A primeira mamada do bebê está marcada para as 8h. Por volta de 7h45, tire-o do berço para trocar a fralda e vesti-lo e comece a alimentá-lo por volta das 8h. Se você começar a se preparar às 8h, vai perceber que, quando estiver pronta para dar de mamar, já serão 8h15 ou mais, e não 8h.

Nos primeiros dias em que fizer isso, talvez você precise ajudar o bebê a seguir o horário da primeira mamada.

O bebê acorda cerca de uma hora antes da primeira mamada.

EXEMPLO

O bebê acorda entre 7h e 8h. A primeira mamada é às 8h.

1º DIA: Talvez o bebê acorde às 7h15 e queira mamar. Ele não deve começar sua primeira mamada antes das 8h, visto que foi dormir às 20h. Ao invés de alimentá-lo assim que acordar, tente encorajá-lo a descansar mais um pouco usando as ferramentas para a noite, entre as quais fazer "shhh", bater de leve na barriga dele, ou acalentá-lo por mais quinze ou trinta minutos, até 7h30 ou 7h45, se conseguir.

2º E 3º DIAS: No segundo dia, tente esperar quinze ou trinta minutos a mais do que no primeiro. Repita o processo todas as manhãs, até chegar às 8h.

Pode haver um ou dois dias em que não conseguirá qualquer progresso (por exemplo, o bebê precisa mamar às 7h30 dois dias seguidos), ou você pode até voltar atrás um pouco, mas, se continuar a incentivar o bebê em direção à hora inicial desejada (8h neste exemplo), acabará fazendo com que ele comece a mamar no início do primeiro bloco.

O número de dias que o bebê leva para chegar ao horário inicial desejado não é essencial. Às vezes é preciso dar um passo atrás para dar dois adiante. O importante é que você seja consistente e mantenha o planejamento. Treinar seu bebê é como uma dieta – se você estiver disposto a fazer o trabalho, verá os resultados. Se trapacear, não.

EXEMPLO

No terceiro dia, você pode se sentir tentada a alimentar o bebê às 7h15 em vez de ajudá-lo a chegar até as 7h45, simplesmente porque quer voltar a dormir.

Você deve lutar contra sua vontade de pegar o caminho mais fácil e resolver as coisas de maneira rápida, caso contrário poderá não obter os resultados que quer: muitos e muitos anos sem precisar atender seu filho durante doze horas à noite.

O bebê acorda mais de uma hora antes do horário da primeira mamada.

Se o bebê acordar querendo mamar e ainda faltar mais de uma hora para o horário desejado para a mamada, tudo bem dar a ele cerca de trinta a sessenta mililitros de leite, mas apenas essa quantidade. Você ainda deve amamentá-lo no horário planejado. Lembre-se de que durante os próximos dias você deve ajudar seu bebê a aumentar o intervalo entre o "lanchinho" e a primeira mamada até que o "lanchinho" seja eliminado.

EXEMPLO

O bebê acorda entre 6h e 7h. A primeira mamada é às 8h.

1º DIA: O bebê acorda às 6h15 e quer mamar. Ele deveria começar a primeira mamada às 8h. Dê a ele entre trinta e sessenta mililitros de leite às 6h15 e coloque-o de volta no berço até as 7h45, quando você começa a rotina matinal dele. Então, às 8h, alimente-o quanto ele quiser.

2º DIA: Novamente o bebê acorda às 6h15 querendo mamar. Encoraje-o a aguentar até as 6h30 ou 6h45 antes de oferecer a ele entre trinta e sessenta mililitros de leite.

3º DIA EM DIANTE: Continue a aumentar o tempo até atingir as 7h, uma hora antes do horário desejado. Quando ele estiver acordando por volta das 7h para mamar, elimine o "lanchinho" e siga as orientações anteriores para ajudá-lo a mudar sua mamada das 7h para as 8h.

Seu bebê vai dar pequenos passos até chegar ao horário da primeira mamada. Assim como ao aprender a andar, você deve encorajá-lo e ajudá-lo ao longo do caminho. Acho que meu método é positivo: acredito em pequenas vitórias com as quais o bebê faz um progresso contínuo durante o treinamento.

Segunda, terceira e quarta mamadas durante o dia

Além de treinar seu bebê a começar a mamar em determinado horário todos os dias, você deve encorajá-lo, ao mesmo tempo, a fixar mamadas a cada quatro horas durante o dia, no começo de cada um dos outros três horários estabelecidos. Você sempre deve alimentá-lo quatro horas depois do *começo* da última mamada, e não quatro horas depois que ela termina.

EXEMPLO

Se o horário determinado é 8h, você deve começar a segunda mamada do dia por volta das 12h, a terceira por volta das 16h e a quarta e última por volta das 20h. Não importa se o bebê terminou a mamada às 16h15 ou às 16h30, você sempre vai usar o horário inicial da mamada, 16h, como referência.

Assim como na primeira mamada, pode levar alguns dias para que seu filho deixe de mamar a cada três horas e passe a se alimentar a cada quatro. Mais uma vez, dê pequenos passos e use suas ferramentas para o dia a fim de ajudá-lo a aumentar lentamente o intervalo entre as mamadas.

EXEMPLO

1º DIA: A primeira mamada do bebê foi às 7h e a segunda será às 11h. No entanto, são 10h e ele está chorando e começando a espernear. Use as ferramentas para o dia, como balançá-lo nos joelhos ou oferecer a chupeta, para tentar fazê-lo esperar até as 10h15 ou 10h30.

2º E 3º DIAS: Ajude o bebê a esperar mais quinze ou trinta minutos, até 10h30 ou 10h45. Repita o processo até ele mamar por volta das 11h.

Você descobrirá que a segunda, a terceira e a quarta mamadas vão se estabelecer uma a partir da outra, criando um efeito dominó. Quanto mais seu bebê puder esperar entre as mamadas, mais fome sentirá. A fome fará com que consuma mais mililitros, o que levará a uma digestão mais longa e, por sua vez, tornará mais fácil ele aumentar o intervalo até a próxima mamada. Em outras palavras, quando você elimina mamadas, duas coisas acontecem:

1. O bebê aumenta o intervalo entre as quatro mamadas.
2. O bebê aumenta a quantidade de alimento que ingere por vez.

EXEMPLO

A primeira mamada foi às 7h. O bebê conseguiu adiar a segunda mamada de 10h para 10h30, esperando três horas e meia em vez de três entre a primeira e a segunda mamadas. No lugar de mamar os habituais noventa mililitros em seis minutos às 10h, ele mama 120 mililitros, ou durante oito minutos, começando às 10h30. Como ele mamou trinta mililitros a mais que o normal, terá mais facilidade em aumentar o intervalo entre a segunda e a terceira mamadas.

Eu uso acréscimos de quinze minutos como exemplo ilustrativo para explicar meu método. Se o seu bebê conseguir dar um salto de vinte ou trinta minutos, tudo bem. Talvez ele precise de um salto de dez minutos de vez em quando, mas minha meta seria de pelo menos quinze minutos. Mas lembre-se: cada minuto é um passo a mais em direção ao que você quer.

Quando o bebê atingir a marca de quatro horas entre as mamadas, pare de aumentar o intervalo entre elas.

EXEMPLO

A segunda mamada começou às 11h. Se o bebê ainda estiver dormindo às 15h, horário da terceira mamada, acenda as luzes, ponha uma música ou invente outra maneira de tornar o ambiente convidativo para que ele acorde e então lhe dê de mamar. Se necessário, acorde-o às 15h30 e alimente-o. Encoraje-o a mamar bastante, mas não se preocupe se ele consumir menos que o habitual. Ele pode não ter tanta fome a princípio, mas logo vai se adaptar.

Não estou sugerindo uma rotina rigorosa. Se você se sentir pressionada a começar a amamentar exatamente às quinze horas e quinze segundos todos os dias, ficará tão estressada quanto durante as primeiras semanas do bebê, quando seus dias eram menos previsíveis. Acredito em certa flexibilidade. Sendo necessário, não há problema em começar a amamentar de cinco a quinze minutos antes ou depois do horário programado.

Você deve perceber que, durante a transição das mamadas a cada três horas para as mamadas a cada quatro horas em horários predeterminados, seu bebê talvez não mame muito. Logo, ele vai começar a acrescentar mais mililitros a cada uma das quatro mamadas, como já dito. Lembre-se: você não está reduzindo a quantidade de alimento que o seu bebê recebe ao longo de 24 horas, está apenas concentrando a mesma quantidade de alimento em um número menor de mamadas diárias.

EXEMPLO

No lugar de mamadas de noventa a 120 mililitros cada, você terá mamadas de 180 a 240 mililitros. De qualquer maneira, o bebê estará consumindo 720 mililitros em um período de 24 horas.

Como expliquei anteriormente, o bebê deve estar consumindo pelo menos 720 mililitros em um período de 24 horas antes de começar o treino. Alguns bebês podem ingerir a mesma quantidade a cada mamada (210 mililitros na mamadeira ou dezoito minutos ao peito por vez), enquanto outros consomem mais em uma mamada (por exemplo, 240 mililitros ou vinte minutos na primeira mamada) e menos em outra (150 mililitros ou quinze minutos na segunda).

Tanto faz. O importante é que absorva pelo menos 720 mililitros a cada dia e que você o deixe mamar quanto quiser por vez. Se estiver dando mamadeira, pode acrescentar trinta ou sessenta mililitros em cada mamadeira, caso ele queira mais. E caso ele não esteja dando conta do quanto deveria, consulte seu diário para ver quando ele naturalmente come mais. Então tente encorajá-lo a mamar trinta ou sessenta mililitros a mais nesses momentos.

Se ele regurgitar parte do leite, não se preocupe. É normal que muitos bebês regurgitem parte do alimento durante ou depois de cada mamada. Não se sinta obrigada a repor o que foi perdido. Seu filho pode estar regurgitando por já estar satisfeito. E pode recuperar na mamada seguinte o que pôs para fora. Além disso, a quantidade de alimento expelida muitas vezes parece maior do que é na verdade.

Digamos que você tenha dado a última mamada ao bebê às 14h, mas às 14h45 ele está agitado e não para de chorar. Você deveria alimentá-lo imediatamente ou esperar o máximo possível a próxima mamada? Dar de mamar agora é melhor do que tentar esperar sem, de fato, chegar até o próximo horário programado. Se o bebê ficar com fome menos de uma hora depois de mamar, tudo bem dar mais a ele se *realmente* achar necessário. É muito pior esperar, digamos, duas horas e então alimentá-lo. Sempre tente manter os intervalos de quatro horas, principalmente quando o treinamento acabar. E se não conseguir, seu objetivo para a próxima mamada não deve ser três horas, mas três horas e quinze minutos, três horas e meia etc. Você deve sempre aumentar o tempo, de forma a que o bebê volte a mamar em intervalos de quatro horas.

Uma pergunta que me fazem a toda hora é: quanto tempo deve durar cada mamada? O ideal nos primeiros nove meses é que você não leve mais do que trinta minutos alimentando seu filho – incluindo arrotos, paradas e trocas de fralda.

Durante o treinamento, sobretudo se você estiver amamentando e dando mamadeira ao mesmo tempo porque seu leite não é suficiente ou se estiver alimentando gêmeos, isso pode levar 45 minutos, mas seu objetivo deve ser sempre trinta minutos ou menos. Se levar uma ou duas horas para alimentar os bebês, terá apenas duas horas até começar de novo. Vai passar o dia dando de mamar.

Atividades durante o dia

Para facilitar o treinamento, faça com que seja atraente para o bebê estar acordado durante o dia, em especial depois de cada mamada. Se vocês ficaram confinados no quarto da criança durante as primeiras oito semanas, é hora de levá-lo para um lugar diferente da casa, como a sala de estar, o quarto de brinquedos ou a cozinha. Mas lembre-se de levá-lo de volta para o quarto dele para as sonecas (veja o 4º passo). Isso o ajudará a diferenciar o lugar onde se dorme/descansa (o quarto) das áreas onde pode ficar acordado e brincar (normalmente, o restante da casa).

Conforme o bebê for progredindo no treinamento, ficará acordado por mais tempo durante o dia. Ele deve usar esses pequenos períodos para começar a brincar e aprender sobre o mundo ao seu redor.

Eis uma lista de coisas que você pode fazer com seu filho:

- Momento do chão (tapete de atividades).
- Momento de barriga (tente esperar pelo menos de meia a uma hora depois da mamada, do contrário o bebê pode devolver um pouco de leite).
- Momento da massagem (melhor antes das sonecas ou da hora de dormir).
- Momento de ficar na cadeirinha de descanso.
- Momento de cantar e dançar.
- Momento de brincar no cercadinho.
- Momento ao ar livre (carrinho, cadeira de descanso, cobertor debaixo de uma árvore com brinquedos).

Quando você conseguir organizar uma rotina de mamadas a cada quatro horas, tente manter seu filho acordado entre a terceira e a quarta mamada do dia.

Esse deve ser o momento mais ativo do dia do bebê. Se ele dormir demais entre a terceira e a quarta mamada, terá dificuldades para pegar no sono à noite, depois da última mamada.

Nesse momento, a duração e o número de sonecas vão variar. Em geral, seu bebê tirará uma soneca curta entre a primeira e a segunda mamada e uma mais longa entre a segunda e a terceira. Se tentar mantê-lo acordado entre a terceira e a quarta, estará no caminho certo.

2º Passo:
Mamadas durante a noite: elimine todas de maneira gradual

Quando seu filho começar a mamar de maneira consistente durante o dia, começará também a aumentar o intervalo entre as mamadas à noite, até que elas sejam eliminadas. Nós, seres humanos, fomos programados para sermos produtivos e estarmos em alerta durante o dia e para crescer e descansar durante o sono, à noite. O segundo passo o ajudará a atingir esse resultado.

Aumente o tempo entre as mamadas noturnas.

Diferentemente do 1º passo, no qual o objetivo é que seu bebê mame a cada quatro horas durante o dia, como um reloginho, o objetivo à noite é fazer com que ele passe doze horas, da última mamada do dia até a primeira do dia seguinte, sem alimentação.

Quando você o estiver treinando, dê a quarta e última mamada do dia e deixe passar o máximo de tempo possível até a seguinte. Isso significa que você não deve acordá-lo para mamar. Depois da primeira mamada noturna, deixe passar, novamente, o máximo de tempo possível até a segunda. Repita o processo se houver uma terceira.

Talvez seu bebê acorde para mamar apenas uma vez ou siga um padrão de mamar duas ou três vezes por noite. Ou talvez continue a aumentar gradualmente o intervalo entre a quarta e última mamada do dia e a primeira do dia seguinte, eliminando, assim, as mamadas da noite. Embora a maioria dos exemplos a seguir se baseie no padrão de três mamadas por noite, trata-se apenas de exemplos. O mais importante é trabalhar com o padrão do *seu* filho. Se ele só acorda uma vez por noite para mamar, essa é a única mamada que deve ser eliminada – não o alimente duas ou três vezes por noite. E você deve se esforçar para jamais amamentá-lo mais do que três vezes por noite, a menos que seja por indicação médica.

Quando o bebê acordar para mamar, tente minimizar todos os estímulos. Seu objetivo é alimentá-lo, fazê-lo arrotar e colocá-lo de volta no berço sem o acordar de todo. Basicamente, você quer que ele seja um sonâmbulo durante as mamadas noturnas: ele acorda o suficiente para mamar, mas o ideal é que seus olhos fiquem fechados e que ele se mexa o menos possível.

Aqui estão algumas dicas para ajudar a manter a criança nesse estado semiadormecido durante as mamadas noturnas:

- Não troque a fralda a menos que contenha fezes.
- Mantenha o quarto o mais escuro possível.
- Não fale ou faça contato visual com o bebê (veja mais sobre esse assunto no 3º passo).
- PREPARE-SE! Facilite a mamada.

Amamentação no peito: Use roupas que facilitem o acesso.

Ordenha: Sirva o leite em temperatura ambiente ou coloque-o no aquecedor assim que o bebê começar a se mexer.

Fórmula: Deixe a água na medida na mamadeira (em temperatura ambiente ou em temperatura baixa no aquecedor) e o pó já medido em outro recipiente. Misture imediatamente antes de alimentar o bebê.

Um dos maiores erros que vejo os pais cometerem durante as mamadas noturnas é não terem a mamadeira pronta para colocar na boca do bebê. Os cinco minutos necessários para preparar e/ou aquecer uma mamadeira podem parecer insignificantes, mas nesse meio-tempo seu filho pode ficar agitado e até começar a chorar com os olhos arregalados.

Depois de três ou quatro noites, você verá o surgimento de um padrão noturno definitivo. Seu diário será de grande ajuda para descobri-lo. O bebê terá a tendência de mamar nos mesmos horários toda noite, assim como já faz de dia.

Uma vez que a criança tenha determinado seu padrão noturno, você deve fazer com que ela dê um salto adiante, e não que retroceda: ela pode ajustar o relógio para a frente, mas não para trás.

Isso significa que está tudo bem se o bebê passar do seu intervalo normal entre as mamadas. O horário até o qual ele conseguir avançar se tornará o novo horário de alimentação.

EXEMPLO

A segunda mamada noturna do seu bebê foi às 2h na noite anterior, madrugada de domingo. Agora são 2h da madrugada de segunda e ele está dormindo. Não o acorde para mamar. Deixe-o dormir quanto puder. Digamos que ele acorde às 3h, e não às 2h. Três da manhã se torna o novo horário da mamada na madrugada de terça.

Esteja preparada para que ele adie também a terceira mamada (por exemplo, ele vai mamar às 6h e não às 5h).

Isso também significa tentar não deixar o bebê reprogramar uma mamada noturna na direção oposta: se ele acordar com muita antecedência, use a caixa de ferramentas para a noite a fim de ajudá-lo a se alimentar no mesmo horário da noite anterior.

No entanto, você deve ser mais flexível à noite do que seria durante o dia para manter a criança apenas semiacordada: se perceber uma agitação leve se transformar em um soluço desesperado, dê-lhe o seio ou a mamadeira antes do programado.

EXEMPLO

Seu filho começa a se mexer à 1h30, meia hora antes do horário normal da mamada. Tente encorajá-lo a continuar a dormir dando-lhe a chupeta, acalentando-o etc., para ajudá-lo a mamar mais perto das 2h. No entanto, se perceber que seus movimentos e seu choro estão aumentando de intensidade, dê-lhe a mamada mais cedo. Normalmente ele vai adiar essa mamada também nos próximos dias.

Se você deixa chegar até o ponto de agitar muito os braços e escancara a boca para gritar, vai ser mais difícil ele dormir de novo depois de mamar. Lembre-se: as mamadas noturnas devem permitir que o bebê volte a cair em um sono profundo e reparador em seguida.

Muitos pais perguntam se é preciso deixar o bebê determinar os horários da noite ou se tudo bem alterá-los para que se encaixem nas necessidades dos pais.

Acredito que é possível obter resultados melhores e mais rápidos quando se seguem os padrões naturais de mamada do bebê durante a noite do que tentando estabelecer um padrão de mamadas no lugar dele.

No entanto, você pode alterar as mamadas noturnas de alguma forma assim que um padrão tiver sido estabelecido, se isso for mais conveniente para você em termos de continuidade do seu sono. Mas saiba que você estará trocando um treinamento melhor pela conveniência.

EXEMPLO

Durante o dia, seu filho mama às 7h, 11h, 15h e 19h. Por três ou quatro noites seguidas você percebe que ele acordou sozinho por volta das 22h, 1h e 4h para mamar. Tente seguir esse padrão natural quando der de mamar à noite. Mas talvez seja mais conveniente para você dar de mamar à meia-noite em vez de à 1h, quando ele acordaria naturalmente. Tudo bem alimentar o bebê nesse horário para que você consiga dormir direto uma quantidade maior de horas. Entretanto, o treinamento durará entre alguns dias e algumas semanas, porque você não estará seguindo a escala natural de mamadas do bebê e não estará deixando que ele dê um salto adiante.

GÊMEOS

Para treinar gêmeos, deixe cada bebê estabelecer seu próprio padrão. Isso significa que, se um bebê mama às 23h, 1h e 5h e o outro à meia-noite, 3h e 6h, então esses são os horários que eu usaria durante o treinamento. Lembre-se: gêmeos são indivíduos com padrões e dificuldades de treinamento diferentes. Se você puxar a mamada de um dos bebês para mais cedo, ou atrasar um pouco a do outro bebê, o treinamento vai levar mais tempo, mas essa diferença de tempo será temporária e pode ser acertada em uma ou duas semanas. Então pense nisso como um investimento para o futuro – duas semanas de trabalho duro e sono sacrificado para obter dividendos em termos de sono futuro por muitos e muitos anos. Se fizer as contas, verá como realmente vale a pena. Isso posto, você também pode alterar os horários dos seus gêmeos para que se adaptem às suas necessidades de sono, como explicado no exemplo anterior.

Reduza gradualmente a quantidade de leite das mamada noturnas, uma de cada vez.

Depois que seu filho estabelecer sua própria rotina noturna, você deve diminuir gradualmente a quantidade de leite que ele consome em cada mamada da noite. Lide com uma mamada de cada vez. Isso quer dizer que *a mãe ou o pai* não devem tentar reduzir a quantidade de leite de todas as mamadas da noite ao mesmo tempo. Mas se o *próprio bebê* reduzir essa quantidade não haverá problema. Se o bebê mamar menos por si mesmo, não aumente a quantidade de leite daquela mamada.

EXEMPLO

Num domingo à noite, o bebê consome noventa mililitros na primeira mamada, sessenta na segunda e noventa na terceira. Na noite de segunda-feira, o bebê, por vontade própria, mama sessenta mililitros na primeira mamada, sessenta na segunda e sessenta na terceira. Na terça-feira, ofereça ao bebê apenas sessenta mililitros em todas as mamadas noturnas.

No meu trabalho, descobri que normalmente os bebês mamam menos na segunda mamada noturna, assim, em geral, ela é a primeira a ser eliminada. Depois, gradualmente, elimine a primeira mamada noturna e, por fim, a terceira.

Elimine as mamadas noturnas nesta ordem	Segunda, Primeira, Terceira

Para eliminar a segunda mamada noturna, primeiro descubra quantos mililitros oferecer a seu filho. Este será o ponto de partida. Consulte seu diário. Observe quanto a criança mamou na noite anterior durante a segunda mamada e então reduza essa quantidade em quinze mililitros.

EXEMPLO

Você está começando a reduzir a quantidade que o bebê ingere na segunda mamada noturna numa noite de segunda. Na noite de domingo, ele mamou noventa mililitros na segunda mamada. Na segunda à noite, eu começaria com 75 mililitros, isto é, quinze mililitros a menos do que o bebê ingeriu na noite de domingo.

	DOMINGO	SEGUNDA-FEIRA
Segunda mamada noturna	90ml	75ml

Por três dias seguidos, dê ao bebê a quantidade de leite determinada no planejamento. No quarto dia, reduza essa quantidade em quinze mililitros.

No entanto, se o bebê mamar menos do que o ponto de partida durante esses três dias, a nova quantidade passa a ser seu ponto de partida. Novamente, use-o por três dias antes de reduzi-lo em quinze mililitros no quarto dia ou quando o bebê mamar menos por conta própria.

EXEMPLO

Quando o bebê acordar para a segunda mamada da noite de segunda, dê a ele apenas 75 mililitros, o ponto de partida determinado no exemplo anterior. Você também dará a ele a mesma quantidade na segunda mamada das noites de terça e quarta. Na noite de quinta, reduza a quantidade da segunda mamada para sessenta mililitros e recomece o ciclo de três noites. Continue a reduzir a segunda mamada em quinze mililitros a cada quatro dias, até que ela seja eliminada. Isso deve levar no máximo duas semanas e meia.

DOM.	SEG.	TER.	QUA.	QUI.	SEX.	SÁB.
90ml	75ml	75ml	75ml	60ml	60ml	60ml

DOM.	SEG.	TER.	QUA.	QUI.	SEX.	SÁB.
45ml	45ml	45ml	30ml	30ml	30ml	15ml

DOM.	SEG.	TER.	QUA.	QUI.	SEX.	SÁB.
15ml	15ml	0				

No entanto, se durante essas três primeiras noites o bebê mamar menos que 75 mililitros na segunda mamada noturna, digamos, 45 mililitros na noite de terça, então nas noites de quarta e quinta ofereça apenas 45 mililitros a ele.

DOM.	SEG.	TER.	QUA.	QUI.	SEX.	SÁB.
90ml	75ml	45ml	45ml	45ml	30ml	30ml

DOM.	SEG.	TER.	QUA.	QUI.	SEX.	SÁB.
30ml	15ml	15ml	15ml	0		

Esteja preparado para que o bebê reduza novamente a quantidade oferecida na segunda mamada noturna por conta própria, ingerindo, por exemplo, quinze mililitros na noite de quinta.

Continue a reduzir a quantidade de alimento da segunda mamada noturna até que ela seja eliminada.

DOM.	SEG.	TER.	QUA.	QUI.	SEX.	SÁB.
90ml	75ml	45ml	45ml	15ml	15ml	15ml

Depois de suprimir a segunda mamada noturna, elimine a primeira, usando os passos descritos anteriormente.

O mesmo vale quando você for eliminar a terceira mamada da noite.

MAMADA NOTURNA	DOM.	SEG.	TER.	QUA.	QUI.	SEX.	SÁB.	DOM.
PRIMEIRA	23h / 90ml	23h / 90ml	23h / 75ml	23h30 / 75ml	23h30 / 75ml	oh / 75ml	oh / 75ml	oh / 75ml
SEGUNDA	1h / 60ml	2h / 45ml	2h / 45ml	2h / 30ml	2h30 / 30ml	3h / 30ml	3h / 15ml	0 / 0
TERCEIRA	5h / 60ml	5h30 / 60ml	6h / 60ml	6h / 45ml	6h / 45ml	6h30 / 30ml	6h30 / 30ml	6h30 / 30ml

Eis um exemplo de como pode ser a primeira semana enquanto você elimina a segunda mamada noturna:

EXEMPLO

No domingo, seu filho ingeriu sessenta mililitros quando mamou pela segunda vez à noite, então você deve começar a eliminar essa mamada oferecendo 45 mililitros (quinze mililitros a menos) na noite de segunda. Você planeja oferecer 45 mililitros nas noites de terça e quarta, mas o bebê mama apenas trinta mililitros por conta própria na noite de quarta. Assim, você oferece trinta mililitros nas noites de quinta e sexta. Como seu filho não reduziu essa quantidade por conta própria durante esses três dias, você, mãe ou pai, reduz a quantidade no sábado à noite para quinze mililitros (quinze mililitros a menos do que ele ingeriu na sexta à noite). Você planeja oferecer quinze mililitros nas noites de domingo e segunda, mas o bebê não mama na segunda mamada da noite de domingo. A essa altura, a segunda mamada noturna foi eliminada. A partir de agora, não dê nada ao bebê entre a primeira e a terceira mamada.

Perceba que, apesar de você, mãe ou pai, estar apenas reduzindo a quantidade de alimento oferecida na segunda mamada noturna, a quantidade oferecida na primeira e na terceira mamadas também diminui. O bebê está ingerindo menos nessas mamadas *por conta própria*. Lembre-se: quando o bebê mamar menos em qualquer uma das mamadas, essa é a quantidade que você deve oferecer a ele a partir daquele momento.

Talvez você perceba ainda que os horários de todas as três mamadas também estão sendo adiados, e não antecipados. Isso acontece porque você está permitindo que o bebê "dê o salto para a frente" e não que "ande para trás", como discutido anteriormente.

TENHA EM MENTE que isso é apenas um exemplo. Seu bebê pode levar menos ou mais dias para eliminar uma mamada noturna.

É muito importante lembrar duas coisas enquanto treina bebês para mamar menos e com menor frequência durante a noite:

1. Ele deve receber durante o dia os mililitros não ingeridos à noite.

Encoraje seu filho a tomar pelo menos mais quinze mililitros em cada mamada diurna. Ou observe em que momento do dia ele está com mais fome, talvez na mamada da manhã, e tente acrescentar entre trinta e sessenta mililitros de cada vez. Os bebês começarão naturalmente a mamar mais durante o dia por conta própria, então não será difícil acrescentar esses mililitros.

2. Não ande para trás!

Uma vez iniciado o treinamento noturno, esforce-se para não começar as mamadas noturnas muito cedo ou para não aumentar a quantidade de alimento em momento algum. Seu objetivo é progredir, não regredir. Lembre-se de que durante quatro semanas você estará no Centro de Treinamento de Bebês!

A parte mais difícil desse passo muitas vezes é psicológica. Doze horas parece muito tempo para que seu bebê fique sem se alimentar. Muitas mães me perguntam se deveriam complementar a última mamada do dia com flocos de arroz. A verdade é que não é necessário. Seu filho está recebendo nutrição suficiente por meio das mamadas diurnas.

Apesar de não achar necessário complementar a última mamadeira do dia com flocos de arroz, acredito que isso pode ajudar o bebê com o refluxo e a regurgitação, e fazer com que ele passe a noite inteira sem as mamadas mais facilmente. Eu usaria *no máximo* uma ou duas colheres de sopa de flocos para cada mamadeira de 180-240 mililitros. Você está lidando com um sistema digestivo delicado, e mais do que duas colheres de sopa por mamadeira pode provocar mais problemas do que resolver. Não caia na lógica falsa: uma colher de sopa de flocos não é igual a uma hora de sono! Então, dar quatro colheres de sopa não vai fazer seu filho dormir quatro horas a mais; provavelmente vai fazer com ele durma menos e gerar um monte de roupa suja para lavar, porque ele vai precisar se livrar do excesso de alimento.

GÊMEOS

Novamente: trate os bebês como indivíduos – reduza o alimento da mamada a ser eliminada a partir do que cada bebê consome. Isso significa que, se um bebê ingere noventa mililitros na segunda mamada noturna e o outro toma apenas sessenta, você deve começar a dar 75 mililitros para o primeiro bebê e 45 para o segundo. É o mesmo processo, mas baseado no padrão de alimentação individual de cada um. Pais de gêmeos têm mais trabalho, mas eles precisam lidar com o que têm em mãos. Deixar de fazer isso não só atrasaria o treinamento como seria injusto com as crianças.

A amamentação e a eliminação das mamadas noturnas.

As clientes que amamentam seus bebês exclusivamente no peito muitas vezes perguntam como reduzir a quantidade de alimento em cada mamada noturna. Prefiro que minhas clientes usem leite ordenhado durante o treinamento por duas razões: primeiro, assim é possível medir de maneira precisa a quantidade de alimento que o bebê está recebendo a cada mamada; e segundo, é menos provável que ele adquira o hábito de usar o peito como chupeta noturna (ver Cap.6).

No entanto, se você escolher dar o peito para seu filho, aplique os mesmos princípios de redução descritos anteriormente, mas substitua os mililitros por minutos. Basta reduzir o tempo de mamada em três minutos a cada quatro dias durante a mamada noturna que está sendo eliminada. Se o bebê ficar ao peito por um período mais curto em qualquer desses três dias, então deixe-o mamar durante apenas esse tempo nos próximos três dias, a menos que ele reduza o tempo novamente por conta própria.

EXEMPLO

Se o bebê foi amamentado por doze minutos na noite de domingo durante a segunda mamada, deixe-o mamar por nove minutos nas noites de segunda, terça e quarta durante a mesma mamada.

Na quinta-feira à noite, reduza o tempo novamente em três minutos. O bebê então irá mamar por seis minutos nas noites de quinta, sexta e sábado.

DOM.	SEG.	TER.	QUA.	QUI.	SEX.	SÁB.
12min	9min	9min	9min	6min	6min	6min

DOM.	SEG.	TER.	QUA.	QUI.	SEX.	SÁB.
3min	3min	3min	0min			

Mas se o bebê mamar por apenas sete minutos na noite de terça, então deixe-o fazer o mesmo na quarta e na quinta, a menos que ele mame menos por conta própria novamente, por exemplo, por cinco minutos na noite de quinta.

DOM.	SEG.	TER.	QUA.	QUI.	SEX.	SÁB.
12min	9min	7min	7min	5min	5min	5min

DOM.	SEG.	TER.	QUA.	QUI.	SEX.	SÁB.
2min	2min	2min	0min			

Registre também por quantos minutos o bebê fica ao peito nas outras mamadas noturnas. Se ele mamar menos por conta própria em alguma delas, então não o deixe mamar mais do que isso nessas mamadas nas noites seguintes.

Use um *relógio digital* para cronometrar as mamadas: é mais preciso e muito mais fácil de ler no escuro do que um analógico.

As lactantes enfrentam certos problemas na hora de reduzir as mamadas noturnas. Uma de minhas clientes me disse que estava com medo de parar de amamentar à noite porque receava que seu leite diminuísse. Ela queria saber como manter a quantidade de leite produzido durante o treinamento e depois dele.

Como seu corpo estava produzindo leite a cada três horas havia um ou dois meses, disse a ela para aumentar gradualmente o tempo de todas as quatro mamadas diurnas em dois ou três minutos.

Você também pode tirar o leite depois de cada mamada diurna durante duas semanas para ajudar a treinar seu corpo a produzir mais leite nesses momentos. Se quiser, também pode fazer a ordenha antes de dormir para manter uma produção de leite adequada. Assim, você terá leite à mão para usar durante o treinamento noturno ou no dia seguinte.

Se você está amamentando, aconselho a ordenhar apenas quando sentir os seios cheios na hora de ir para a cama à noite, cheios o suficiente para incomodá-la ou fazerem-na acordar. Também aconselho a ordenhar apenas o suficiente para aliviar a pressão (isto é, não esvazie os seios). Seu corpo acabará se adaptando, provavelmente em duas semanas.

Descobri que não importa como você se organize, seu corpo seguirá o próprio ritmo de produção de leite. Assim como sua quantidade de leite se ajusta à necessidade do bebê, seu corpo se adaptará à sua necessidade, fazendo com que produza mais leite durante o dia e menos à noite. Você perceberá que pode dormir cada vez mais tempo sem precisar ordenhar.

E você produzirá mais leite durante o dia porque é quando o bebê mama com mais intensidade. Seu corpo "aprende" isso. A natureza é incrível!

3º Passo:
Sono à noite: o bebê dorme ou fica quieto no berço por doze horas durante a noite

Estabeleça uma rotina para dormir.

Meia hora antes da quarta e última mamada do dia, leve seu filho para o quarto. Você precisa fazer cinco ou seis coisas todas as noites para sinalizar a ele que é hora de se acalmar e dormir.

É importante ser consistente nessa rotina. Pense em algo que você sempre faz, como beber café, tomar banho ou escovar os dentes todas as manhãs. O dia não começa direito se você não fizer essas coisas, algo fica fora do lugar. Os bebês também se sentem assim.

Aqui está uma lista de rituais que recomendo:

- Diminua a luz do teto com um *dimmer* ou acenda uma ou duas luminárias com lâmpadas fracas.
- Feche as persianas ou as cortinas das janelas do quarto (recomendo usar cortinas de blecaute para que, quando houver mudanças no horário do pôr do sol, o bebê não fique confuso com os períodos de luminosidade mais longos).
- Ligue o rádio e escolha uma estação com música tranquila (clássica, jazz, romântica) ou ponha um CD com canções de ninar ou outros ritmos calmos.
- Dê banho ou faça massagens no bebê.
- Coloque fralda e roupas noturnas. As fraldas noturnas são importantes porque você só deve trocá-las se ele fizer cocô. Trocar fraldas molhadas à noite vai interromper o seu sono e o da criança. Troque as roupas dela por roupas adequadas para a noite, mesmo que não tenha lhe dado banho. Trocar a roupa de noite e de manhã ajuda o bebê a distinguir a noite e o dia.
- Leia para o bebê.
- Feche a porta do quarto para evitar outros barulhos e luzes.

Alimente o bebê. Use as instruções do 2º passo para garantir que ele receba alimento suficiente antes de dormir.

Coloque o bebê no berço ACORDADO.

O segredo do 3º passo é colocar o bebê no berço quando ele ainda estiver acordado. Ele precisa aprender a adormecer sozinho para conseguir dormir a noite toda. Depois que ele conseguir pegar no sono sozinho no berço por pelo menos seis semanas, tudo bem se ele adormecer no seu colo uma ou duas vezes por semana, mas não duas noites seguidas. Do contrário, ele pode desenvolver o hábito de pegar no sono fora do berço e não conseguirá adormecer sozinho lá.

Ligue um brinquedo de berço com uma música suave.

Pode ser um móbile, um bicho de pelúcia ou outro brinquedo preso às laterais do berço, apenas tenha certeza de que ele toca uma música suave e tranquilizadora por três ou até dez minutos. Não é hora nem lugar para brinquedos barulhentos.

Dê ao bebê um cobertorzinho ou brinquedo de que ele goste, adequado à idade e que tenha o cheiro da mãe.

Não importa o que você dê ao bebê, verifique se o objeto não oferece risco de sufocamento. Antes de oferecer um brinquedo ao seu filho, durma com ele por três ou quatro noites para que absorva o seu cheiro. Quando o bebê acordar à noite, poderá trazer o brinquedo para perto de si e se acalmar com seu cheiro sem que você esteja lá.

Dê um beijo e diga boa-noite.

Minha parte favorita do 3º passo.

Apague a luz, saia do quarto e feche a porta.

Sim, eu disse feche a porta. À noite, o objetivo é criar um oásis de sono para que seu filho descanse. O quarto deve estar escuro o suficiente para que ele durma, mas siga suas preferências pessoais. Alguns pais gostam de deixar o quarto em total escuridão porque acham que luzes noturnas acordam o bebê. Outros preferem usar uma ou duas luzes noturnas pequenas. Use uma babá eletrônica para ficar de olho no seu filho até se sentir segura sobre os hábitos de sono dele.

GÊMEOS

Se você tem gêmeos ou trigêmeos, talvez precise começar a rotina para dormir de 45 a sessenta minutos antes da quarta mamada. Tente colocar os bebês em seus berços ao mesmo tempo ou com cerca de quinze minutos de diferença entre cada um.

Como lidar com o choro: A Solução pelo Choro Controlado.

Quando as pessoas ouvem um bebê chorar, dizem: "Ai, meu Deus, algo deve estar errado. Este bebê pequeno e indefeso está em apuros e preciso resolver isso."

Mas às vezes o bebê está apenas tentando falar com você.

Apesar de haver algumas coisas que você possa resolver, como trocar uma fralda com cocô ou dar a ele um cobertor quentinho para dormir, há outras que você não consegue, ou melhor, não deve consertar.

Como foi discutido anteriormente, bebês chorando precisam que os pais os acalmem de alguma forma. Mas seu papel deve ser ajudá-los com seus problemas emocionais, não resolvê-los. Lembre-se, seu mantra deve ser: "Não vou resolver isso para você, mas estarei ao seu lado." Logo seu filho precisará de cada vez menos ajuda, porque aprenderá a se acalmar sozinho e por conta própria.

Deixe o bebê chorar por três a cinco minutos antes de ir até o quarto.

Por mais difícil que seja para os pais, esse passo é essencial para ajudar seu filho a aprender a dormir a noite toda. Enquanto ele chora, está tentando descobrir isso por si mesmo – está aprendendo a se acalmar sozinho. Quando ele aprender, será capaz de adormecer sem intervenção dos pais. Lembre-se: todos nós acordamos durante a noite, nos viramos e puxamos o cobertor, sem perceber.

Na época em que a criança está adquirindo esses hábitos, entre a oitava e a décima segunda semana de vida, ela ainda tem uma resposta muscular limitada e não possui muito controle sobre seus movimentos. Mas é indispensável que você deixe seu filho achar o próprio caminho.

Se ele se acalmar durante o período de espera, reinicie a contagem.

EXEMPLO

Você está na cozinha e, pela babá eletrônica, escuta o bebê chorar. Olha para o relógio e vê que são 21h15. Se ele parar de chorar às 21h17, mesmo que seja por quinze segundos, então você começa a contar de três a cinco minutos novamente às 21h17.

Espere mais três a cinco minutos para dar ao bebê a oportunidade de se acalmar sozinho até as 21h22. Use sempre o bom-senso.

Se o bebê se acalmar às 21h17, mas às 21h19 seu choro aumentar ou você perceber outra mudança negativa (gritos agudos, soluços etc.), então vá até lá e ajude-o a se acalmar antes que o período de três a cinco minutos tenha passado. Apesar de ele precisar descobrir o próprio caminho para ter um sono restaurador, vai aprender pouco se ficar completamente fora de controle.

Se o bebê ainda estiver chorando depois de cinco minutos, vá até o quarto e tranquilize-o da lateral do berço, sem o pegar no colo.

- Use as ferramentas para a noite (p.57).
- *Não* fale ou faça contato visual com o bebê.

Fazer chiados e sussurrar é bom para o bebê, mas não fale com ele em tom de conversa. A noite é hora de dormir e deve ser tediosa e quieta. Se você começar uma conversa com o bebê ou olhar diretamente em seus olhos enquanto ele está no berço, ele pode achar que está perdendo alguma coisa e vai tentar ficar acordado.

GÊMEOS

Se estiver trabalhando com gêmeos, você corre o risco de uma conversa animada acordar o(s) outro(s) bebê(s).

Quando o bebê se acalmar, afaste-se do berço, saia do quarto e feche a porta.

Quando está calmo, ele costuma fazer um som rápido de inalação ou para de chorar completamente. A essa altura, afaste-se do berço e retire-se do quarto. A partir do momento em que se acalma, deve ficar sozinho.

Espere outros três a cinco minutos antes de entrar de novo.

Lembre-se: seu papel é intervir e diminuir o nível de agitação do bebê, mas não solucionar o problema por ele, acalmando-o até que caia no sono.

Talvez seja preciso repetir esse processo várias vezes ao longo da noite. No entanto, a frequência com que você precisa ajudar o bebê e a duração de cada episódio de choro diminuem ao longo do tempo.

Muitas perguntas surgem no 3º passo, mas normalmente as respostas são as mesmas: você está treinando seu filho a se acalmar sozinho à noite, então não deve fazer muito por ele nesse passo. Ele está pronto para se acalmar sozinho se você o deixar fazer isso.

Estas são algumas das perguntas que costumo ouvir:

E se o bebê não dormir doze horas? E se ele acordar depois de apenas dez horas e meia?

As crianças têm padrões diferentes de sono. Algumas dormem as doze horas inteiras, outras podem dormir de dez a onze horas e ficar acordadas por uma ou duas horas. Mas o bebê deve permanecer no berço, de qualquer maneira. Ele deve acordar de bom humor e se entreter sozinho no berço, sem chorar, até que chegue o horário em que seu dia começa. Em outras palavras, ele não deve acordar e gritar imediatamente para que os pais corram até o quarto e o tirem do berço.

Caso isso ocorra, você deve fazer exatamente o que faria em qualquer outro momento da noite: dê a ele de três a cinco minutos para se acalmar antes de ir até o quarto ajudá-lo, e, no caso de ser preciso ir, saia assim que as coisas se acertarem. Só porque ele está acordado no final das doze horas não significa que deva sair do berço. Se não, o bebê, e não os pais, estará determinando o horário. Lembre-se de que você é a mãe ou o pai, você está no comando. E, na verdade, o tempo em silêncio no berço vai ensinar habilidades maravilhosas a seu filho, como brincar sozinho e ter paciência.

Apesar de o meu filho dormir, ele parece agitado, mexendo-se e virando-se por várias horas. O que devo fazer?
Se o bebê fica agitado durante o sono ou acorda com frequência, experimente coisas diferentes até que ele encontre uma adequada. Como saber do que ele gosta? Muitas vezes digo aos pais com quem trabalho: "Ei, há grandes chances de que o que funciona com você também funcione com seu filho."

Pergunte-se: "Como gosto de dormir?" Digamos que você aprecie ter por perto algo que o conforte. Agora imagine-se sem cobertor, apenas com um lençol sobre você. Talvez você diga: "Ah, não, eu não conseguiria dormir assim. Preciso de algo que me conforte. Preciso estar aquecida." Você se conhece. Em algum momento lá atrás você identificou o que precisava para dormir.

Acontece exatamente o mesmo com as crianças. Você precisa observar o que você e seu marido, ou esposa, gostam, porque com muita frequência será do que seu filho vai gostar também. Apesar de ele crescer do próprio jeito, você e a sua família são a estrutura dele, tanto do ponto de vista genético quanto do ponto de vista ambiental.

Se você gosta de dormir deitada do lado direito, há chances de que seu filho goste também. Tente o lado direito; se ele ficar enjoadinho, mude-o para o outro lado. Que tal tentar um cobertor diferente? Apesar da campanha para que os bebês durmam de costas, alguns só pegam no sono de bruços. Outros cobrem os olhos com o cobertor antissufocante para adormecer, não importa quantas vezes os pais, preocupados, o tirem de seu rosto. Mesmo que seu filho seja adotado, o princípio geral continua verdadeiro: encoraje-o a experimentar técnicas diferentes até encontrar a ideal para ele. Estimulo os pais a colocarem os bebês de costas até terem idade suficiente para decidirem sozinhos sobre a posição mais confortável para dormir. Isso geralmente ocorre por volta dos quatro meses, quando eles começam a rolar no berço.

Ouvi que enrolar o bebê em panos é uma ótima maneira de fazê-lo dormir. O que você acha?
Alguns recém-nascidos adoram ser enrolados, mas muitos bebês querem liberdade para se movimentar conforme crescem. Trabalhei com uma família que tentou fazer o bebê dormir com várias toalhas e cobertores ao seu redor para que ele tivesse a impressão de estar no colo. Fizeram isso com as melhores intenções – acreditavam que "se ele sentir algo nas costas, vai pensar que é meu braço ou minha mão e vai adormecer". Mas ele já tinha sete meses, então conseguia se mexer e encontrar a posição que considerava mais confortável para dormir. As toalhas e cobertores estavam funcionando, na verdade, como uma camisa de força. Quando todas as toalhas e cobertores foram retirados do berço, ele se virou para a direita, o jeito predileto da mãe. Depois de três dias lançando mão da nova posição, passou a dormir a noite toda.

Enrolar o bebê pode funcionar no começo, mas eu não restringiria completamente os movimentos dele no berço, sobretudo quando tiver seis semanas ou mais. Bebês maiores precisam descobrir por conta própria como gostam de dormir e necessitam de liberdade de movimento para fazer isso.

4º Passo:
Sono durante o dia: uma hora de soneca pela manhã e duas horas à tarde

Minha abordagem em relação às sonecas é parecida com a do sono noturno. Bebês até a faixa etária de dezoito a 24 meses de vida precisam dormir de manhã e de tarde. Durante parte do período destinado à soneca eles podem morder um livro de pano, observar um brinquedo ou apenas ficar quietos, mas devem permanecer em seus berços. Basicamente, os bebês precisam diminuir o ritmo para poder mantê-lo.

O treinamento do sono diurno começa cerca de duas semanas após o bebê estar dormindo a noite toda de maneira consistente. A essa altura, você pode observar o padrão natural de sono durante o dia e usá-lo para ajudar a determinar o horário das sonecas. Seu filho deve tirar uma soneca de uma hora pela manhã e de duas horas à tarde, mais ou menos no mesmo horário todos os dias.

Assim como o sono noturno, os bebês devem tirar a soneca no berço para fortalecer a associação entre o quarto e o sono. Você também deve usar uma versão reduzida da rotina noturna para sinalizar à criança que está na hora de dormir.

Utilize alguns dos rituais da noite: apague as luzes, feche as cortinas, ponha a mesma música etc. Assim, estará enviando uma mensagem consistente de que esses rituais significam que está na hora de dormir.

Mas não se sinta obrigada a repetir todas as partes da rotina noturna; provavelmente não é necessário dar outro banho nem trocar a roupa.

Essas sonecas devem acontecer depois que os bebês mamaram e depois que tiveram seu momento de brincar ou de fazer qualquer outra atividade acordados. A escala diária dada como exemplo a seguir mostra como comer, brincar e dormir se encaixam. Lembre-se: essa escala é apenas um exemplo. Além de seguir o padrão básico de alimentação, vigília e sono, sinta-se livre para modificá-la de forma a que se adapte às necessidades da família.

Exemplo de escala diária

HORÁRIO		ATIVIDADE
6h45 – 7h	☺	Acordar, trocar fralda, vestir o bebê
7h – 7h30	🍼	Primeira mamada
7h30 – 9h	☺	Momento de atividades
9h – 10h	☺	Soneca da manhã
10h – 11h	☺	Momento do chão (momento de ficar na barriga)
11h – 11h30	🍼	Segunda mamada
11h30 – 13h	☺	Momento de atividade, ao ar livre se possível (passear no parque, dar uma volta de carrinho)
13h – 15h	☺	Soneca da tarde
15h – 15h30	🍼	Terceira mamada
15h30 – 18h15	☺	Momento de atividade – é muito importane manter o bebê acordado
18h15 – 18h45	☺	Rotina antes de dormir
18h45 – 19h	🍼	Quarta mamada
19h – 7h	☺	Bebê dorme no berço

A primeira soneca deve acontecer entre a primeira e a segunda mamada do dia. A segunda soneca, entre a segunda e a terceira mamada. Normalmente essas sonecas acontecem, respectivamente, duas horas depois da primeira mamada e duas horas depois da segunda mamada. No entanto, você pode modificar esse esquema para que se adapte ao padrão natural de sono do bebê e à rotina da família, desde que haja algum período em que ele fique acordado entre as mamadas e as sonecas.

EXEMPLO

Se a primeira mamada for às 7h, então a primeira soneca deverá começar por volta das 9h. Se a segunda mamada for às 11h, a segunda soneca deverá começar por volta das 13h.

Seu objetivo deve ser que *não* haja soneca entre a terceira e a quarta mamada. Caso contrário, provavelmente o bebê terá problemas para adormecer e continuar dormindo por doze horas durante a noite.

Tente não deixar o ambiente silencioso demais durante as sonecas. Tudo bem se você fechar as cortinas e a porta do quarto para criar um ambiente propício ao sono, mas não tente manter o lado de fora do quarto em silêncio absoluto. Os barulhos comuns do dia a dia não são ruins, na verdade são bons, durante e depois do treinamento. O bebê deve se acostumar a dormir com o telefone tocando, o cachorro latindo e outros sons normais da casa. Lembre-se: os bebês precisam se adaptar ao estilo de vida da família, não o contrário.

Apesar de você precisar ser bastante consistente a respeito de onde e quando seus filhos dormem, também é preciso ser um pouco flexível e ouvi-los. Eles darão sinais para lhe mostrar que estão cansados, então você pode colocá-los para dormir. Avalie esses sinais com bom-senso.

EXEMPLO

O bebê não deve tirar a soneca antes das 10h, mas são 9h45 e ele está enjoadinho e começando a fechar os olhos enquanto chupa a chupeta. Tudo bem se você o colocar no berço para a soneca da manhã.

Mas, se ainda forem 9h15, eu tentaria acalmá-lo com as ferramentas do dia por cerca de trinta minutos, ajudando-o a se aproximar do objetivo do horário das 10h para a soneca da manhã.

Se o bebê chorar quando for colocado no berço para a soneca ou acordar durante o sono, você deve usar os mesmos métodos que usou para treiná-lo a dormir à noite. Por exemplo, se ele acordar na metade da soneca, dê a ele de três a cinco minutos para se acalmar sozinho antes de ir ajudá-lo. Se ele ainda estiver chorando depois de cinco minutos, vá até o quarto e use as técnicas da sua caixa de ferramentas para encorajá-lo a voltar a dormir por conta própria.

GÊMEOS

É importante que os gêmeos tirem a soneca no mesmo horário todos os dias, assim como vão para a cama na mesma hora. E mesmo que um precise dormir menos que o outro, ambos devem ficar no berço durante todo o tempo da soneca.

5

COMO TREINAR BEBÊS ENTRE TRÊS E DEZOITO MESES DE IDADE

APESAR DE ESTE LIVRO ter como objetivo treinar bebês a dormir a noite toda quando eles têm doze semanas, o mesmo método pode ser aplicado para treinar bebês ao longo do primeiro ano de vida e até mesmo com dezoito meses. No entanto, há algumas considerações adicionais que você deve ter em mente na hora de treinar um bebê mais velho.

SE O TREINAMENTO COMEÇAR ENTRE TRÊS E NOVE MESES DE IDADE

Como normalmente nesse momento você não precisa esperar que seu bebê atinja o peso mínimo e a ingestão de alimento é mais ou menos estável e previsível, o treinamento será mais rápido do que durante os três primeiros meses de vida. E como ele ainda é novo, continua receptivo a pequenas mudanças. No entanto, hábitos positivos e negativos estarão mais arraigados do que se o treinamento tivesse acontecido durante os três primeiros meses, então talvez haja períodos mais prolongados de choro. Fora isso, os quatro passos do treinamento permanecem os mesmos para essa idade. Consulte a p.106, caso seu filho já esteja consumindo alimentos sólidos.

SE O TREINAMENTO COMEÇAR ENTRE NOVE E DEZOITO MESES DE IDADE

Como já dito, quanto mais meses se passam sem treinamento para o sono, mais arraigados ficam os hábitos bons e ruins. Acho que, quando o treinamento começa por volta dos nove meses, as crianças podem ser resistentes a mudanças na rotina. Isso posto, treiná-las agora ainda é mais fácil do que esperar até que o primeiro ano acabe ou, o que é ainda mais desafiador, até que o bebê tenha entre dezoito e 24 meses de idade. Você só precisa de algumas informações a mais:

1. Durante a semana que anteceder o início do treinamento, mantenha um diário ou use as folhas do diário de 24 horas sugeridas no começo deste livro.

É importante anotar a rotina diária de seu filho, incluindo os hábitos de alimentação, sono e atividades. Como provavelmente você mesma está cansada e sem dormir direito, é especialmente importante fazer suas observações *por escrito*, e não confiar apenas na memória – use um caderno para registrar cada dia por uma semana inteira. Antes de fazer qualquer mudança é preciso reunir informações suficientes sobre o comportamento do seu filho para criar um plano de ação sólido. Isso inclui ir ao quarto do bebê durante a soneca e à noite para observar o ambiente: observe a luz que vem de dentro e de fora do quarto, a temperatura, quanto barulho pode ouvir com a porta fechada, qualquer corrente de ar, o nível de umidade etc.

Bebês dessa idade são muito estimulados por sons e luzes e estão muito mais conscientes do mundo ao redor do que quando têm menos de seis meses. Na verdade, recomendo aos pais que começam o treinamento entre nove e dezoito meses de idade que colem sacos de lixo ou outro material que bloqueie a luz nas janelas do quarto do bebê. Se acharem que isso ajuda, podem então comprar blecautes. Se acharem que não faz diferença, então podem experimentar um abajur pequeno ou um *dimmer*. Também é uma boa ideia ter um aparelho tocando sons como o barulho de ondas do mar ou da chuva. Isso é especialmente válido se você mora em uma região urbana agitada e barulhenta ou simplesmente em uma casa muito movimentada. Você precisa abrir o caminho para que seu filho possa ir em direção aos bons hábitos de sono. E parte disso acontece tornando o ambiente adequado.

2. Treine seu bebê a comer quatro vezes por dia, como descrito no 1º passo (p.61), mesmo que ele esteja consumindo alimentos sólidos.

Mesmo que já tenha introduzido alimentos sólidos na dieta de seu filho entre nove e dezoito meses, você ainda deve treiná-lo a comer quatro vezes por dia. Isso significa dar o peito ou a mamadeira seguidos imediatamente dos sólidos, ou sólidos seguidos imediatamente do peito ou da mamadeira. Muitas vezes aconselho os pais a oferecerem primeiro o alimento de que a criança menos gosta. Por exemplo, se seu filho adora o leite materno ou a fórmula mas resiste ao purê de abóbora, ofereça a abóbora primeiro. Se seu filho resiste a mamar no peito ou na mamadeira, então ofereça-os antes dos alimentos sólidos. De qualquer maneira, não ofereça sólidos e então leite materno duas horas mais tarde nem dê uma mamadeira seguida de sólidos uma hora depois. Caso contrário, você criará um padrão no qual a criança belisca o dia todo ao invés de fazer quatro refeições completas.

3. Entenda que, apesar de seu filho ter menos de dezoito meses, o treinamento agora vai dar mais trabalho para que seja possível garantir sua eficácia.

Treinar nessa idade muitas vezes envolve mais choro, às vezes entre uma e quatro horas, assim que você começa. Você ainda deve ir entre três e cinco minutos ajudar o bebê a se acalmar se achar que isso melhora a situação. Se não, então seu marido ou outra pessoa, como uma avó ou a babá, deve assumir o treinamento por dois ou três dias. Quando a mãe é a principal responsável por cuidar do bebê, tanto ela quanto ele muitas vezes já caíram em um ciclo de maus hábitos. Ter mais alguém ajudando no treinamento pode quebrar esse ciclo.

Quando for acalmar o bebê depois de três a cinco minutos de choro, você deve falar o menos possível. Use frases curtas e objetivas como "volte a dormir" e "boa-noite" – frases de comando que seu filho pode entender com facilidade e que não o encorajam a responder. Fale com a voz em tom de sussurro. Tente convencê-lo a dormir na escuridão completa ou com a luz baixa. Use apenas as suas mãos e a sua voz para guiá-lo de volta ao sono, as mesmas ferramentas sobre as quais leu na seção "Suas caixas de ferramentas". Como certamente seu filho já consegue ficar de pé no berço, tente ajoelhar-se ou sentar-se em um pufe perto dele, passando suas mãos por entre as grades, ao invés de ficar de pé perto do berço. Assim é menos provável que ele queira que você o tire de lá.

Nessa mesma linha, não tente "barganhar" com a criança. A essa altura, seu filho conhece você e seus padrões muito bem e decerto será resistente se você estiver mudando uma rotina de ir para a cama com a qual ele está acostumado. Mas, se você está lendo esta seção, não deve estar satisfeita com a rotina atual, então fique firme. Sempre digo aos meus clientes com bebês mais velhos que, uma vez que eles decidem treinar seus filhos para dormir, devem ser fortes – os resultados valem a pena!

Eis um exemplo de como as primeiras noites podem se desenrolar quando se treinam bebês entre nove e dezoito meses de idade:

Primeira noite

O treinamento começa na noite de sexta-feira. Isso porque você deve iniciá-lo sabendo que poderá descansar mais no dia seguinte. Em outras palavras, não comece o treino se tiver um compromisso importante na manhã seguinte que pode deixá-la mais vulnerável e mais inclinada a desistir no meio do caminho.

Lembre-se de que a primeira noite do treinamento será a mais difícil. Você está mudando tudo, a rotina é nova para você e para o bebê, e você estará mostrando a ele pela primeira vez que haverá novos parâmetros.

Vá para o quarto dele e dê início à rotina noturna. Isso pode incluir ouvir música tranquila, dar um banho e colocar o pijama, então amamentá-lo no peito, com a mamadeira ou com um copo antivazamento (o ideal é que ele mame pelo menos 180 mililitros ou por vinte minutos).

Coloque-o então no berço com seu cobertor ou brinquedo favorito. (Algo a que ele tenha apego. Se não houver outra coisa, pode até ser uma camiseta sua com o seu cheiro, contanto que ele possa segurar para sentir-se emocionalmente confiante.)

Dê um beijo de boa-noite, vire-se e vá embora. Na hora que você o colocar no berço ou se virar, talvez ele fique chateado – se ficar, continue andando para fora do quarto e feche a porta para mostrar qual é o seu objetivo. Então conte até trinta *devagar*. Se ele ainda estiver aborrecido, volte e acalme-o usando as ferramentas discutidas anteriormente.

A ideia é trazê-lo de um UÁÁÁÁÁÁÁÁ histérico para um UÁÁ. Em vez de resolver a situação para ele, seu objetivo é trazê-lo de volta a um ponto a partir do qual ele pode tentar de novo sozinho.

Prepare-se para entrar a cada trinta segundos ou um minuto *a noite toda* se necessário até que ele adormeça (*vai ficar mais fácil!*). Se você puder, tente aumentar o tempo entre as intervenções dos pais para os três a cinco minutos recomendados anteriormente no livro. Lembre-se: você tem um bebê cansado e bem-alimentado em um ambiente perfeitamente tranquilo. Ele vai querer resistir, mas seu objetivo é tornar o sono muito convidativo. O bebê terá todas as condições para descobrir como adormecer por conta própria. E depois que ele fizer isso pela primeira vez, normalmente saberá como fazê-lo durante o resto da noite.

Os bebês, assim como os adultos, passam por ciclos de sono leve e profundo ao longo da noite. A diferença é que a maioria dos adultos sabe voltar a adormecer. Quando seu bebê adquirir essa habilidade, não precisará mais de sua ajuda.

Lembre-se de anotar tudo o que acontecer na primeira noite para comparar com as anotações das noites seguintes.

Segunda noite
Nessa noite, repita a mesma rotina ao ir para a cama. Dessa vez, porém, tente prolongar o tempo entre as intervenções dos pais para três a cinco minutos.

Você deve perceber uma melhoria em relação à primeira noite. Isso mostrará que você está no caminho certo e a encorajará a continuar. Quando você faz as coisas certas com o bebê, obtém resultados positivos e incontestáveis. As crianças querem aprender e querem ter a oportunidade de aprender. Precisamos apenas confiar nelas e em nós mesmos como pais. Novamente, não se esqueça de anotar tudo o que acontecer.

Terceira noite
É nessa noite que você avalia o progresso. Depois que o bebê for para a cama, você deve ser capaz de perceber uma melhora definitiva nos hábitos de sono dele e mesmo em seu humor durante o dia.

Como foi afirmado anteriormente neste livro, é preciso reforçar esse novo padrão. Seu filho sabe o que fazer, mas ainda vai tropeçar de vez em quando, assim como quando começar a andar. Acalmar a si mesmo é uma habilidade que é aprendida; ela começa com a capacidade de adormecer por conta própria e se desenvolve a partir daí.

Embora provavelmente haja muito choro por uma ou duas noites, os resultados positivos constatados na terceira ou na quarta noite serão a força de que você precisa para continuar o treinamento. Provavelmente vai levar de uma a duas semanas para os seus bebês entrarem numa rotina constante de onze a doze horas de sono ininterruptas. O trabalho é duro, mas você será recompensada com resultados incríveis. Todos em sua família vão se beneficiar com isso, sobretudo seu filho. Esse treinamento vale muito a pena – não desista!

6

Exceções à regra

Como lidar com mudanças na sua rotina

Uma vez que o Centro de Treinamento de Bebês (de oito a doze semanas) acabe, seu bebê irá dormir de maneira consistente durante a noite e terá uma rotina de alimentação e de sonecas durante o dia. Normalmente, é assim que será o seu dia, mas haverá aqueles em que ocorrerão variações na rotina do seu filho, planejadas ou inesperadas.

Doenças

Quando seu filho estiver febril, resfriado, passando mal do estômago ou com qualquer outra doença, encoraje-o a seguir sua rotina tanto quanto possível. Mas você não pode esperar que ele a siga completamente se não estiver descansando o bastante ou se estiver sentindo dor. Faça os ajustes necessários e volte à rotina regular do bebê assim que ele for capaz de segui-la novamente. Pode ser preciso reforçar o treinamento. Lembre-se: são necessários três dias para criar um hábito ruim e sete dias para mudá-lo. Comprometa-se a interromper qualquer hábito prejudicial que se forme durante o período em que seu bebê estiver doente.

Eventos especiais durante o dia

Durante os primeiros seis meses de vida, eu tentaria me ater ao máximo à rotina, mesmo nos fins de semana. É uma troca, mas vale a pena: o luxo de saber que seus dias serão previsíveis e que você pode contar com várias horas livres tem como preço se organizar em torno das sonecas do seu bebê e mantê-lo em uma rotina consistente.

Minimizar as interrupções pelos primeiros seis meses vai permitir que o ritmo da rotina "fique firme". Podemos fazer uma boa analogia usando a gelatina: depois que a gelatina endurece por três ou quatro horas, você pode manipulá-la, cortá-la em cubos, fazer camadas com chantilly ou escrever nela usando um palito. Mas se você mexer nela antes da hora, terá uma meleca enorme nas mãos. Da mesma maneira, se tentar introduzir muitas mudanças no cotidiano do bebê antes que ele tenha uma rotina sólida estabelecida, é provável que ele fique irritado, com mau humor e se retorcendo com acessos de birra.

Durante os primeiros seis meses, tente planejar atividades dentro dos horários de sono, alimentação e vigília.

EXEMPLO

Bebê de quatro meses fazendo uma visita de rotina ao pediatra

Seu bebê mama às 7h, 11h, 15h e 19h. Suas sonecas são entre 9h e 10h pela manhã e entre 13h e 15h à tarde. Oito da manhã é um bom horário para marcar a visita ao médico sem atrapalhar a rotina do bebê. Comece a alimentar seu filho entre 6h45 e 7h, saia de casa às 7h30 e chegue ao médico às 8h. O bebê então poderá passar por uma consulta de meia hora e ainda chegar em casa a tempo para a soneca das 9h. Se o médico se atrasar, no pior dos casos seu filho vai tirar a soneca no carro, a caminho de casa.

Outra possibilidade para agendar o médico é às 16h30. Às 15h, você alimenta o bebê em casa, às 15h30 você troca a fralda e o coloca na cadeirinha do carro. Saia de casa às 16h. Você terá meia hora para chegar ao consultório. Se alimentar seu bebê fora de casa, isto é, na sala de espera do médico logo antes ou depois da consulta, então terá ainda mais opções.

Se mudanças na rotina forem necessárias durante os primeiros seis meses, tente minimizar o número de exceções por semana e não ter muitas delas em um só dia. Planeje com antecedência e compense quando necessário.

EXEMPLO

Festa de aniversário às 14h

Seu bebê normalmente tira a soneca por volta das 14h. Como a festa começa nesse horário, coloque-o para tirar sua soneca da manhã meia hora mais cedo e encoraje-o a dormir mais. Deixe-o tirar um cochilo no carro a caminho da festa e, se puder, não o acorde para a primeira parte do evento. Deixe-o dormir na cadeirinha.

Ou você pode deixar que ele durma no carro a caminho de casa depois da festa e que continue dormindo por cerca de meia hora depois de vocês chegarem em casa. Depois conforte-o com as ferramentas para o dia se ele ficar reclamando até a hora de ir para a cama. Lembre-se: um dia é a exceção, não a regra. O ritmo do seu bebê pode ser alterado um dia, mas, desde que você se atenha à rotina nos próximos dois dias, em geral o bebê se manterá no caminho certo.

Depois dos primeiros seis meses, ir a uma festa de aniversário ou realizar outras atividades durante a hora da soneca terá menos efeitos na capacidade do seu bebê de se ater à rotina nos dias seguintes.

"Dias de neve"

Se você morou em uma região de clima frio quando era criança, provavelmente tem boas lembranças dos dias de neve nos quais o clima estava tão ruim que as aulas eram canceladas ou adiadas por uma ou duas horas. Apesar de ser difícil tirar um dia inteiro de folga, pode haver manhãs no fim de semana – e mesmo em dias úteis – em que você queira dormir um pouco mais. Ou dias em que o bebê esteja acordado no berço e você queira levá-lo para se aconchegar na sua cama. Ou talvez a hora de dormir seja às 20h, mas você gostaria que seu filho ficasse acordado até as 21h para receber a visita dos tios de outra cidade.

Depois que o bebê atingir a marca dos seis meses, tudo bem fazer essas alterações na rotina. Mas tente limitá-las a um dia.

EXEMPLO

Dormir numa manhã de domingo

Você quer dormir mais nas manhãs de domingo. Normalmente a primeira mamada do seu filho é às 8h. Aos domingos, tente dormir até as 9h, alimentando o bebê cerca de uma hora mais tarde do que o normal. Eu disse "tente", porque ele pode decidir que meia hora é tudo a que você tem direito.

O bebê não vai esquecer sua rotina porque você o deixou uma hora a mais no berço. Mas, se você fizer isso de novo na segunda e na terça – isso não é bom –, começa a se tornar um hábito que terá de ser mudado.

Conforme seu filho se aproximar dos dois ou três anos de idade, não há problemas se ele "pedir permissão" para mudanças ocasionais na rotina, como permanecer com os pais na cama, desde que fique claro que isso é um privilégio e que, se as regras que o cercam forem quebradas, então ele o perderá.

Férias e viagens

Férias e viagens podem produzir enormes alterações em sua rotina diária. A primeira vez pode ser desafiadora para os pais, pois há o temor de que passar a noite fora pode causar um desastre na vida da criança. As férias tiram a criança de sua rotina, mas é importante que os pais sejam flexíveis e descubram seus limites.

As férias são apenas mais um exemplo de que o bebê se adapta à unidade familiar já existente. Apesar de talvez ser difícil viajar durante as semanas do Centro de Treinamento de Bebês, sem dúvida isso é possível, sobretudo depois dos primeiros seis meses. Você apenas precisa se preparar com antecedência e fazer os ajustes necessários. Leve um berço portátil, como um cesto ou um cercadinho. Você também vai precisar de um quarto no qual possa seguir a rotina noturna e colocar seu bebê para dormir. Mas não importa quanto você torne sua casa-longe-de-casa parecida com seu lar verdadeiro, o bebê não ficará necessariamente dentro da rotina. Pense em você: durante uma ou duas noites talvez você não durma de maneira confortável na cama do hotel ou no colchão inflável dos seus pais e fique se mexendo e virando na cama de um lado para o outro. Mas, depois de três ou quatro dias, você começa a se sentir mais confortável, porque estabeleceu um novo ritmo longe de casa. Os bebês também estabelecem novas rotinas quando estão longe de casa.

Mas isso faz com que seu filho esqueça a rotina de casa? Não. Ele se adaptará por um determinado período, mas, depois de um tempo, começará a sentir falta de sua rotina. Somos criaturas de hábitos. Então, se ele ficar mal-humorado perto do final das férias, não se surpreenda. Assim que chegar em casa ele pode levar um ou dois dias para se readaptar à rotina, principalmente se vocês viajaram para um lugar com outro fuso horário. Mas ele vai voltar a ela com certa rapidez, desde que você restabeleça a rotina em casa com um pouco de reforço, se necessário.

A volta da mãe ao trabalho

Se seu filho for para uma creche, talvez você precise ser um pouco mais flexível com a rotina diária. Veja se é possível que a creche incorpore a sua rotina, mas muitas vezes elas já têm uma rotina estabelecida para poder cuidar de várias crianças ao mesmo tempo. Nesse caso, siga o esquema da creche nos fins de semana e nos dias em que ficar cuidando do seu filho. No entanto, mantenha os hábitos do final do dia e da noite estabelecidos durante o treinamento.

Se você tiver uma babá em casa, duas semanas antes de voltar ao trabalho treine-a para seguir a rotina que você estabeleceu. Se você trabalhar junto com a babá nessas duas semanas, a transição para os cuidados de outra pessoa também será mais fácil para o seu filho.

O que devo esperar depois das doze semanas?

Uma das coisas mais importantes a se ter em mente é que o reforço dos pais é a principal chave para o sucesso a longo prazo. Mas, mesmo que haja lapsos por causa do nascimento dos dentes ou por outros motivos, não deve levar mais do que três a sete dias para colocar seu bebê de volta no caminho certo. Além disso, é hora de se concentrar nas sonecas durante o dia e ser o mais consistente possível, principalmente até o bebê ter seis meses de vida.

7

SITUAÇÕES EXTREMAS

SITUAÇÕES MUITO DESAFIADORAS NAS QUAIS MEU MÉTODO FUNCIONOU

Quando sou apresentada a uma família, muitas vezes os pais me dizem que seu filho tem problemas tão únicos que temem que ele nunca seja capaz de dormir a noite toda. Acham que ninguém passou por algo pior que eles.

Estou aqui para dizer que não existem desculpas para não treinar seu bebê a dormir a noite toda. Apesar das diferenças entre cada família e cada bebê, jamais conheci uma criança que eu não pudesse treinar com os métodos descritos neste livro. A lista de casos extremos que ofereço a seguir foi pensada para encorajar você – se eles conseguiram, você consegue!

Muitas cólicas

Quando conheci April, seus filhos Adam e Aidan dormiam todas as noites superprotegidos em cadeirinhas de carro com cobertores enfiados em todos os cantos para que não pudessem se mexer. Mas o problema era que, na verdade, Adam e Aidan não dormiam nas cadeirinhas. Eles passavam a maior parte do tempo gritando.

Como choravam tanto, os pais achavam que, quando dormiam, era por causa das cadeirinhas. "Se eu tirar as cadeirinhas, eles não vão mais dormir", diziam. Tive que mudar a situação aos poucos, porque os bebês estavam acostumados a dormir sentados. Depois de várias semanas de trabalho, os dois meninos estavam dormindo doze horas por noite em seus berços, deitados de bruços e com o bumbum para cima. É assim que eles gostam de dormir. Os pais nem acreditaram.

Muito refluxo ácido

Treinei outros dois gêmeos, Brandon e Braden, que tinham sido diagnosticados pelos médicos como tendo um caso extremo de refluxos ácidos. Não podiam ficar deitados retos nem de costas ou de barriga sequer por dois minutos sem vomitar longe e chorar. Ainda assim treinamos os dois meninos a dormir doze horas por noite em cadeirinhas postas em seus berços. Todos os outros aspectos do meu método, como se alimentar a cada quatro horas, quatro vezes ao dia, nada de mamadas noturnas, duas sonecas por dia etc., foram os mesmos. Com oito meses de idade, eles eram capazes de dormir doze horas por noite deitados retos de costas em seus berços.

Lábio leporino

Treinei um casal de gêmeos, Caitlyn e Carter, ambos com lábios leporinos. Essa fenda torna difícil dormir bem por causa dos problemas respiratórios associados a ela. Os gêmeos também dormiam doze horas por noite quando completaram doze semanas de vida. Tive de voltar algumas vezes depois que eles fizeram as cirurgias corretivas, aos seis e dez meses, para realizar o treinamento de reforço, mas em três dias eles estavam de volta à sua rotina de doze horas de sono.

Quádruplos e síndrome de Down

Trabalhei com uma família que tinha tido quádruplos, dois deles com síndrome de Down. Todos os quatro bebês dormiam doze horas por noite quando chegaram aos quatro quilos.

Bebê que não saía do colo

Há algum tempo, trabalhei com trigêmeos, uma menina e dois meninos. Os meninos dormiam a noite toda quando tinham dezesseis semanas, mas a menina, Diana, não. Ela era a menor dos três e precisou ser monitorada de perto assim que chegou do hospital. Diana também tinha uma grande mancha de nascença no rosto. Seus pais sentiam pena e ficavam muito tempo com ela no colo. Quando a avó paterna chegou, não tirava a menina dos braços. Enquanto os meninos dormiam a noite toda, ela acordava chorando depois de quatro ou cinco horas, não conseguia se acalmar e não voltava a dormir a menos que alguém a pegasse.

Depois que a avó foi embora, a mãe de Diana e eu conseguimos treiná-la para que dormisse a noite toda como os irmãos, sem precisar de colo e sem chorar de maneira descontrolada.

Chupeta humana

Tive uma cliente cuja filha de onze meses, Emma, dormia com os pais. Emma acordava a cada duas horas e chorava até a mãe lhe dar o peito, ou, digamos, um lanchinho. No fundo, o seio da mãe havia se tornado uma chupeta para que ela mesma pudesse dormir um pouco.

Usando o meu método, substituímos o peito por mamadeiras entre as 19h e as 7h e depois o pai, não a mãe, treinou a criança durante as três primeiras noites. Em uma semana, Emma estava dormindo a noite inteira.

Criança de cinco anos que dorme com a mãe

Um dos casos mais extremos com que já lidei foi o de um menino chamado Franklin. Fiz uma entrevista com a família dele porque sua mãe estava esperando gêmeos. Na entrevista, ela me contou que já fazia dois anos que Franklin passava a noite com ela na cama dos pais, enquanto seu marido dormia no porão. Quando perguntei por quê, ela disse: "Porque é o que o Franklin quer."

Isso ia contra tudo o que tento ressaltar neste livro: pais no comando, adaptação do bebê à família que já existe e o fato de que a criança precisa, e se desenvolve bem, em um ambiente com limites e restrições.

Eu disse à mãe de Franklin que seria muito difícil e injusto ter dois tipos de regras em vigor na casa, um para o menino e um para os gêmeos que chegariam.

Então, depois que os bebês de doze semanas estavam dormindo doze horas por noite, passei a lidar com os problemas de sono de Franklin. O resultado daquela empreitada me preocupava, porque cinco anos está definitivamente fora do limite de idade no qual tenho experiência de mudar hábitos de sono ruins. Mas fico feliz em dizer que, depois de uma noite cheia de choro, chutes e uma porta de quarto toda marcada, um novo Franklin acordou pedindo instruções e orientações da mãe ao invés de ditar as próprias regras. Antigos padrões haviam sido mudados e limites haviam sido restabelecidos. Depois de mais alguns dias, Franklin estava dormindo na própria cama e o pai ressurgiu do porão.

Franklin me levou a adaptar meus métodos, por causa de sua idade e da duração de seus péssimos hábitos de sono. E deve servir de inspiração para que você leve adiante seu próprio treinamento de sono, mesmo durante os momentos mais difíceis.

O QUE DIZEM OS PAIS QUE USARAM O MÉTODO DE SUZY GIORDANO

❦

"Suzy foi a treinadora de bebês perfeita para a nossa família. Ela dedicou seu tempo a conhecer nossas necessidades e desenvolveu uma abordagem que funcionou para nós. Graças a Suzy, ao invés de temer, fico animada com a hora que minha filha vai para a cama."

DONNA DEPASQUALE

"Ouvimos falar de Suzy assim que descobrimos que estávamos esperando gêmeos. Eles nasceram antes do tempo e, depois de uma longa estada no hospital, chegaram em casa uma semana antes da data prevista de nascimento. Suzy nos ajudou por várias semanas.

Quando ela chegava, à noite, sempre passávamos a primeira meia hora conversando sobre como havia sido o dia e pedindo conselhos. O que aprendemos nessas meias horas ajudou a nos tornarmos os pais que somos. Suzy nos deu aulas práticas sobre como criar nossos filhos que seguimos diariamente, até hoje. Nossos gêmeos agora têm dois anos.

Primeiro, Suzy nos ajudou a entender a importância da rotina para as crianças. Na verdade, nossos filhos crescem muito bem nessa rotina, pois sabem o que esperar – o que lhes dá autoconfiança e controle. Isso é ainda mais importante num lar com gêmeos.

Em segundo lugar, Suzy colocou em perspectiva as decisões que estávamos tomando sobre o sono das crianças, mostrando-nos como essas decisões ajudariam nossos filhos a longo prazo. Ela nos ensinou a confortá-los e, ao mesmo tempo, dar a eles ferramentas para que se confortassem por conta própria. Ensinou-nos a pensar sobre os padrões que estávamos determinando e sobre o impacto de certos comportamentos nas crianças quando elas tivessem quatro ou cinco anos. Ensinou-nos a valorizar coisas que vão ajudar nossos filhos a crescer com autoconfiança e segurança.

Em terceiro lugar, Suzy nos ajudou a criar nossos rituais de ir para cama de maneira a valorizar o sono. Nossos filhos adoram seus berços, adoram dormir e aceitam muito bem a chegada do sono.

Às vezes as crianças não querem ir para a cama, mas muitas vezes elas nos pegam pela mão e nos levam até os berços.

Em quarto lugar, Suzy nos ensinou que, como pais, estamos no comando. Nós determinamos as regras, mas também criamos as exceções. Ela nos ensinou a sermos flexíveis sem criar maus hábitos e o que fazer, caso escorregássemos e acabássemos tendo um problema.*'*

MONICA DIXON

"Meu marido e eu temos trigêmeos. Suzy Giordano salvou nossa sanidade mental com seu método para fazer os bebês dormirem a noite toda! Sem sua ajuda não estaríamos aqui para contar a história!"

Karen e Roger Mahach

"Fomos pais de primeira viagem aos quarenta anos, depois de passar décadas ouvindo histórias de terror de amigos e parentes sobre a hora de dormir. Com o método de Suzy e uma rotina amorosa, nossos gêmeos estavam dormindo doze horas por noite quando tinham doze semanas de vida. Agora, três anos mais tarde, eles ainda dormem perfeitamente. Na verdade, sobem as escadas sozinhos, deitam na cama e então chamam o papai para contar uma história. Não saem da cama, não choram e não é preciso fazer várias visitas ao seu quarto para repreendê-los. Nada de infelicidade. Na verdade, eles sempre ficaram satisfeitos de ir para a cama. Sempre acordam felizes e bem descansados, prontos para um novo dia!

Ficamos muito felizes de ter a Suzy aqui para nos ajudar com os gêmeos em sua primeira noite em casa. De início, achávamos que o grande benefício de sua presença seria o de podermos dormir um pouco durante a noite, sabendo que ela atenderia às necessidades de nossos filhos. Não imaginávamos o impacto a longo prazo em termos de qualidade de vida depois que Suzy os ensinou a dormir a noite toda quando tinham doze semanas de vida. Não há palavras para descrever o presente que ela deu à nossa família. Seu presente para nossos filhos – um sono sem lutas – permanece com eles, que são felizes e tranquilos.*"*

KELLY MALESARDI

*"*TEMOS UMA PRATELEIRA cheia de livros sobre como fazer o bebê dormir a noite toda, mas nenhum deles funcionou. O método de 'deixar chorar' parecia muito cruel para nós e os métodos mais delicados não funcionavam. Então ouvimos falar de Suzy – e ela fez um milagre. Em apenas três dias ensinou nossa filha, que na época tinha nove meses, a dormir a noite toda, quase sem um chiado.*"*

DIANA MILBANK

*"*NOSSOS GÊMEOS, que agora têm quatro anos, dormem muito bem desde bebês graças às técnicas de sono de Suzy. Desde muito pequenos, eles dormem regularmente de dez a doze horas por noite e de duas a três horas durante o dia, fato que surpreendeu nosso pediatra.

No começo, foi um desafio manter seu horário de dormir, mas fizemos isso mesmo assim, sabendo que era o melhor para todos nós. Sempre os colocávamos na cama no horário, eles estavam em casa na hora da soneca, e por isso se comportavam melhor. Agora que têm quatro anos, não tiram mais sonecas, mas ainda dormem de dez a doze horas por noite. Eles levantam felizes, descansados e prontos para começar o dia. E, o que é tão importante quanto, meu marido e eu também!

Houve apenas algumas ocasiões em que as crianças dormiram conosco, ou vice-versa, e isso aconteceu quando estávamos fora de casa ou quando um deles ficava muito doente.

Recebemos muitos elogios sobre como nossos filhos são queridos e bem-comportados, e realmente acho que grande parte disso tem a ver com seus bons hábitos de sono. Trabalhar logo no começo com Suzy valeu imensamente a pena para nós. Não só conseguimos o sono de que tanto precisávamos; temos dois filhos muito educados e tranquilos que não brigam para ir para a cama e sabem quando estão cansados e querem dormir. Há muitos desafios em ser pais de gêmeos, mas, no nosso caso, somos muito agradecidos pelo fato de o sono não ser um deles!"

KATHY STOKES MURRAY

"ALÉM DOS MEUS GÊMEOS, também sou mãe de um menino de três anos muito agitado. Como tinha de cuidar do mais velho, não podia tirar um cochilo quando os gêmeos estavam na soneca, então precisava recuperar meu sono à noite. Como Suzy e seus métodos ajudaram os bebês a dormir a noite toda desde cedo, eu estava pronta para cuidar dos meus três filhos pela manhã. Inclusive amamentei os gêmeos por oito meses e eles conseguiam dormir a noite toda sem problemas."

MOLLY NEWBERRY

"NÃO POSSO NEM IMAGINAR como eu enfrentaria a maternidade sem os fundamentos que aprendi com Suzy Giordano. Ela nos guiou pela loucura dos recém-nascidos. Treinou nossos gêmeos a dormir doze horas por noite em apenas doze semanas. Depois ensinou nosso outro filho, dois anos mais novo, a dormir doze horas por noite em nove semanas e meia.

Mas, mais importante do que isso, aprendemos a extraordinária filosofia de Suzy sobre criar crianças tranquilas, calmas, autoconfiantes e independentes. Nossos filhos não são mais bebês e mudaram muito desde que Suzy os treinou. Mas os conselhos dela passaram pelo teste do tempo. Nossos filhos continuam a crescer bem. O melhor de tudo: sabem adormecer sozinhos à noite, de forma calma e feliz. Como Suzy diz, este é um presente que demos a eles para o resto da vida."

ALEXANDRA B. STODDARD

"QUANDO DESCOBRI que estava grávida de gêmeos, o melhor conselho que meu marido e eu recebemos foi: CONSIGA AJUDA PARA AS NOITES. Minha busca me levou a Suzy Giordano, e contratá-la foi uma das melhores decisões que já tomamos.

Suzy era uma grande defensora de se criar uma rotina para os gêmeos. Ela começou a trabalhar conosco no primeiro dia em que os trouxemos para casa e, em menos de três meses, fez com que os dois dormissem doze boas horas durante a noite. Ela também nos ajudou a ficar mais relaxados e seguros como pais novatos.

Meu marido e eu brincamos que nossa família tirou um diploma com Suzy. Havia muito a aprender sobre como estabelecer uma rotina para as crianças, mas, assim que aprendemos, foi ótimo! Todos trabalhamos juntos para colocar nossos gêmeos recém-nascidos em uma rotina que funcionasse bem para a família. O resultado foi como um retrato do que poderíamos esperar nos dias e meses seguintes enquanto eles cresciam. Não estávamos ao sabor da falta de rotina. Eu sentia que podia enfrentar tudo, e uma mãe autoconfiante é uma mãe segura.

Ter uma rotina para as crianças me permitiu sair com os bebês sozinha quando eles tinham apenas poucas semanas de vida. Logo estávamos no parquinho, entrávamos na academia e visitávamos amigos que também tinham filhos pequenos. Normalmente éramos os únicos com gêmeos e meus filhos sempre eram os 'bonzinhos'. Mães com apenas um filho ficavam surpresas porque estávamos sempre em movimento e queriam descobrir nosso segredo.

Raramente meus filhos estavam mal-humorados. Estavam sempre descansados e, graças à nossa rotina, eu podia prever suas necessidades e ajustar as saídas em torno de suas mamadas e sonecas. Podia pedir a uma amiga que me ligasse às três da tarde e ter bastante confiança de que os dois estariam dormindo. Isso era muito libertador.

Não há nada 'fácil' no fato de ter gêmeos recém-nascidos, mas tê-los dentro de uma rotina definitivamente nos deu uma boa base. Não consigo imaginar como teria sido ter uma criança dormindo e outra precisando ser alimentada – um dia depois do outro. Isso certamente era um incentivo para ficar dentro da rotina. Foi algo que tivemos que ensinar a nós mesmos, assim como aos bebês, e, para que funcionasse, tínhamos que nos ater a ela. Conseguimos e foi uma experiência positiva que nos serviu bem por todos os primeiros anos. Agora as crianças têm seis anos e colhem os benefícios de ficar dentro de uma rotina mais do que imaginam.

Hoje olho para aqueles primeiros meses com meus bebês como um período feliz e cheio de experiências novas e maravilhosas – não como uma época em que fiquei presa em casa, sem dormir e sempre tentando imaginar quando seria a próxima mamada. Grande parte disso se deu graças ao treinamento da Suzy. Seu conhecimento sobre recém-nascidos é incrível. Foi um aprendizado que considero um presente dela para nós e nossos filhos."

LISA VOGT

Agradecimentos

Ao longo dos anos, muitas vezes me pediram que escrevesse um livro acerca de meus métodos e pontos de vista sobre os bebês. Mas isso exigia que eu tivesse um tempo para fazer coisas que não "eram a minha praia", como manter um diário. Então conheci os Abidin.

Como sempre, eu tinha minhas conversas à noite com eles assim que chegava em sua casa. Falávamos sobre nossas vidas, minhas filosofias e, claro, bebês. Então, quando eles sugeriram que eu escrevesse um livro, eu disse "sim", e Michael entrou em ação. Na noite seguinte, eles disseram: "Vamos começar." Confusa, perguntei: "É isso? Tudo o que preciso fazer é falar?" Michael sorriu e disse: "Sim, vamos conversar." (Eu garanto, adoro falar!)

Então, Michael, este livro está aqui hoje em grande parte por sua causa. Obrigada por dar o passo inicial, por acreditar que conseguiríamos, por nos incentivar quando precisamos e por nos manter na linha. E por apoiar Lisa quando ela precisou se afastar do papel de mãe ou esposa para poder colocar toda a sua energia neste projeto.

Compartilho com você o sucesso e a gratidão de todos os que usarão os conselhos deste livro e se sentirão melhor sobre a experiência de serem pais.

Suzy Giordano

1ª edição [2012] 12 reimpressões

ESTA OBRA FOI COMPOSTA POR MARI TABOADA EM
THE SANS E THE SERIF E IMPRESSA EM OFSETE PELA
GRÁFICA BARTIRA SOBRE PAPEL PÓLEN DA SUZANO S.A.
PARA A EDITORA SCHWARCZ EM MARÇO DE 2025

MISTO
Papel | Apoiando
o manejo florestal
responsável
FSC® C105484

A marca FSC® é a garantia de que a madeira utilizada na fabricação do papel deste livro provém de florestas que foram gerenciadas de maneira ambientalmente correta, socialmente justa e economicamente viável, além de outras fontes de origem controlada.